Pam Fi, Duw?

ddy mŵfi

Diolch i gast o actorion sy'n gwneud gwaith yn bleser,
a chriw technegol sy'n agor drysau i ni gyd.

"Cŵl yw slang y gang i gyd"
Myrddin ap Dafydd a Meirion Macintyre Huws

Argraffiad Cyntaf Tachwedd 1998

Lluniau John Owen ac actorion ***Pam Fi Duw?*** (ar wahân i llun y clawr cefn, gan S4C)

Dylunio'r Clawr Iwan Standley / Ångel

ISBN 086243 485 8

Cyhoeddwyd yng Nghymru gan Y Lolfa Cyf., Talybont, Ceredigion SY24 5AP
e-bost ylolfa@ylolfa.com
y we www.ylolfa.com
ffôn (01970) 832 304
ffacs 832 782
isdn 832 813

y Lolfa

Pam Fi, Duw?

ddy mŵfi

JOHN OWEN

cynnwys

RHYS! - get ê leiff!

Secs on legs! Na, dim ond fi'n grwtyn normal, heb ofidie'r byd i'n llethu!

HOLWR Enw?

RHYS Rhys Deryck Davies. Deryck ar ôl 'y nhad.

HOLWR Oedran?

RHYS Deunaw cyn bo hir.

HOLWR Pen-blwydd?

RHYS Medi'r 23ain. Hen yn 'y mlwyddyn ysgol.

HOLWR Statws priodasol?

RHYS Sengl!!

HOLWR Cartref?

RHYS Y Rhondda.

HOLWR Beth yw dy farn di am dy hunan fel person?

RHYS Sori, sa i'n deall y cwestiwn.

HOLWR Wel, shwd wyt ti'n credu ma' pobl yn dy weld di fel person.

RHYS O ma' hwnna'n hawdd. Ma' pawb yn credu 'mod i'n *goody goody*. Byth yn neud dim byd o'i le. Da yn 'y ngwaith. Tynnu'r merched os wy'n dewish.

HOLWR Ac ife fel'na ti'n gweld dy hunan?

RHYS Withe.

HOLWR Licet ti rannu dy deimlade?

RHYS Anodd. Wel, drycha, wy' yn itha da yn 'y ngwaith, wy'n cyfadde. Ond ma' Îfs a Llinos mil gwaith mwy *brainy* na fi. Ma' pobl er'ill yn yr ysgol hefyd sy'n neud cyrsie gwyddonol i gyd yn fwy clyfar, wedyn mae'n annheg bod pobl yn 'y ngweld i fel rhyw ffrîc achos wy'n weddol dda yn 'y ngwaith.

HOLWR Ydyn nhw'n dy weld di fel ffrîc?

RHYS Wel falle bod hwnna'n air rhy gryf. Ond, ma' pawb yn disgwyl gymaint oddi wrtha i. Mam, Dad, Gu, yr athrawon. A withe mae jyst yn ormod. Withe wy' jyst yn dymuno 'sen i'n debycach i rywun fel Spikey. 'Sneb yn disgwyl dim byd oddi wrtho fe yn academaidd a mae 'i fywyd e gymaint yn haws o'r herwydd.

HOLWR Ti wir yn credu 'na?

RHYS Ydw. Nagw. Sa i'n siŵr. Wy' jyst yn credu bod Spikey a phobl fel Spikey yn cael cymaint gwell laff na fi. Ma' mywyd i lot rhy ddifrifol. Mae e fel tase pethe wedi mapo mas yn barod i fi. Ma' pawb yn disgwyl i fi fynd i'r coleg, gwneud gradd, dod allan, mynd yn athro neu rywbeth yr un mor draddodiadol, priodi, cael teulu, mynd yn hen, marw. A beth bydda i wedi neud? Withe wy' jyst yn teimlo fel rhedeg yn noeth trwy'r ysgol a sgrechan ar bawb, *"GET A LIFE!"*

HOLWR O's rhywun arall yn gwbod dy fod ti'n teimlo fel hyn?

RHYS Nago's. Wel wy' wedi gweud wrth Îfs. Wy'n gallu gweud popeth wrth Îfs. Ond dyw e ddim fel se fe wedi helpu lot achos mae 'i fywyd e mor *sussed*. Mae e'n gwbod beth mae e moyn. Mae e wedi bod yn onest 'da phawb a ma' pawb yn ei edmygu e gymaint am hynny. A wy' dal 'ma yn 'tindroi yn y niwl'. Sori, dyfyniad yw hwnna o'r cwrs lefel A Cymraeg. Gwenallt. Mae Miss Einion yn llwyddo i ffindo'r darnau o farddonieth 'ma sy'n cyd-fynd â'n mŵds ni rywffordd.

HOLWR A ma' dy fŵd di ar y funud yn un o ansicrwydd?

RHYS Sbôs. Mae'n od, chi'n gwbod, ar ddechre blwyddyn deuddeg, o'dd popeth yn mynd i fod mor lysh. A nawr ni'n tynnu at ei diwedd hi yr unig beth sy o mla'n i yw diflastod.

HOLWR Ti'n meddwl falle dy fod ti mewn iselder iawn?

RHYS Be ti'n meddwl? *Depression?*

HOLWR Ie.

RHYS Falle. Sa i'n siŵr. Wy' yn oriog. Problem yw 'sdim byd yn mynd o'i le ar 'y mywyd i. Ma' hwnna'n beth ofnadw i weud, nagyw e? Dylen i fod yn diolch i ryw drefen bod popeth yn gwitho mas mor hawdd. Ond withe, pan wy'n gweld Sharon yn brwydro mor galed gyda chymint o brobleme yn ei bywyd hi ac yn para i lwyddo ... wel ... sa i'n gwbod, wy'n genfigennus ohoni. Pwy fydde 'di ystyried bydde Sharon 'di bod yn Brif Swyddog?

HOLWR A ma' hwnna'n broblem i ti?

RHYS Nagyw. Wy'n falch bod Sharon wedi ca'l y job.

HOLWR Ond ti'n grac na chest ti mohoni?

RHYS Ma' hwn yn *boring*.

HOLWR Ga i ofyn cwestiwn personol i ti 'te?

RHYS Falle.

HOLWR Ti a Llinos.

RHYS Mwy *boring*.

HOLWR Ti ddim eisiau siarad amdano fe.

RHYS Wel 'sdim byd i ddweud o's e? Mae e drosodd. Ath hi 'da Prîsi! Mae'n gwbl hysbys bod mwy gyda fe i roi (yn llythrennol) nago'dd gyda fi – a na, dwy' ddim yn hyng yp ynglŷn â'i seis e! Sdim byd arall i ddweud.

HOLWR Pam wyt ti dal mor grac 'te?

RHYS Wel 'sen i'n gallu ateb hwnna fydden i ddim yn grac, bydden i? Drycha, Llinos o'dd y ferch gynta gysges i gyda hi erio'd. A'r tro cyntaf yna o'n i'n crap. Ma' rhywbeth fel 'na'n aros 'da ti. Ond o'dd hi mor dyner tuag ata i. Mor sensitif. Siarad gyda fi. Rhoi hyder i fi. 'Y nysgu i! Sy'n profi falle bod ishe i fechgyn ddarllen magasîns merched i ddysgu!! Ac am ddwy flynedd o'n i'n hapus. Roedd fy nghwpan yn llawn. Wedyn yn y gogledd, heb unrhyw rybudd, gorffennodd hi gyda fi. Dim rheswm. Man'na yn Rhyd-ddu, o'dd e drosodd. Galle hwnna roi fi off y gogledd am byth. Beth odw i fod i neud? A wedyn o fewn wythnose, mae'n mynd gyda'r coc sy'n cerdded – Prîsi! A ma' Mr Aeddfed fan hyn jyst yn 'i dderbyn e gyd, ydy fe? Reffyrî!! Plîs nady fe!!! Odw, wy' dal yn grac.

HOLWR Achos ei bod hi wedi dewis rhywun arall.

RHYS Ie, os yw hwnna'n ateb y cwestiwn, ie.

HOLWR Wyt ti a Sharon wedi bod yn fwy na ffrindiau erioed?

RHYS Naddo! Cwestiwn anhygoel o dwp, os ga i ddweud?

HOLWR Ddim o reidrwydd. Ma'ch perthynas chi'n hynod o agos. Mae'n amlwg ei bod hi'n dy hoffi di.

RHYS Fel ffrind. Mae'n hoffi Îfs hefyd.

HOLWR Mae Îfs allan o'i chyrredd hi nawr. Ti ddim.

RHYS Odw! Wy'n ffrind! Ti'n deall ystyr y gair?

HOLWR Odw. Wyt ti?

RHYS Drycha, olreit wy'n cyfadde, ma' rhywbeth deniadol iawn amdani. Mae'n rhywiol iawn. Mae'n ddrwg. Mae'n neud i fi chwerthin. Ond allen i byth â dychmygu mynd allan gyda hi a ni'n gariadon. Dyw e jyst ddim yn bosib. Wy' 'i hangen hi fel ffrind yn fwy na fel cariad.

HOLWR Ond nagyw e'n bosib ca'l y ddau beth?

RHYS Wel ody yn y byd perffeth, ond nagyw e'n bodoli! Ond pam fydden i ishe cymryd y risg yna? Ma' rhywbeth gwerthfawr gyda fi nawr.

HOLWR Wyt ti'n credu mai fel 'na bydd pethe weddill dy fywyd. Bodloni ar rywbeth a pheidio cymryd risg rhag ofn?

RHYS Dwy' ddim eisiau ateb y cwestiwn yna.

HOLWR Wel falle ddown ni nôl at rywbeth tebyg. Taset ti'n gallu dewis bod yn unrhyw un o dy ffrindiau, pwy ddewiset ti?

RHYS Îfs neu Billy.

HOLWR Pam?

RHYS Billy'n hawdd. Mae e'n gwbl, cwbl sysd gyda'i fywyd. Dyw e ddim yn hido am 'i seis e ...

HOLWR Ydy e wedi dweud hwnna wrthot ti?

RHYS Nagyw. Ond mae'n amlwg ei fod e'n fodlon gyda'i hunan.

HOLWR Ac Îfs?

RHYS Achos 'i ddewrder.

HOLWR Ond bydde hynny'n golygu hefyd dy fod ti'n hoyw.

RHYS So?

HOLWR Dyw hwnna ddim yn peri gofid?

RHYS Beth yw hwn, homoffobia teim, ife?

HOLWR Na, dim o gwbl. Wna i ailfframio'r cwestiwn. Fydde bod yn hoyw ddim yn dy boeni di, ond beth yw e ym mhersonoliaeth Îfs sy'n dy ddenu di?

RHYS 'I gryfder, 'i sicrwydd yn 'i hunan ar ôl y blynyddoedd o ofn, 'i allu anhygoel, 'i wyleidd-dra, ei allu i garu pobl am beth ŷn nhw. Mewn gair, I want his bêbîs!

HOLWR Mae e'n swnio fel y person perffaith.

RHYS Sori i dy siomi di, ond mae e *pretty much* yn y'n golwg ni gyd. Wel ar wahân i'r twat wnaeth y pethe hyll 'na iddo fe a hala cachu trw'r post.

HOLWR Dyw Îfs ddim wedi dweud dim wrth neb am hwnna 'te?

RHYS Nagyw. Ond mae e'n gwbod pwy nath e. Ond smo fe'n dweud dim. 'Na beth wy'n golygu wrth ddewrder. Gallen i raffu mil o eiriau er'ill i ti ond beth yw'r pwynt.

HOLWR O'r gore, symudwn ni mla'n. Licen i ofyn 'te, yn sgil dy berthynas ag Îfs, wyt ti erio'd wedi meddwl dy fod ti'n hoyw?

RHYS Ddim mwy nag unrhyw fachgen sy'n ca'l teimlade cariadus at ffrind o'r un rhyw. Ti'n gwbod y whare wilis sy'n digwydd pan ti'n

MAM A FI YM MHORTH CAWL!
MAE RHY DEBYG I FI

Y KUNG FU ECSPERTS

Y Bwyta Creision yn cŵl ecspert

Ble ma' Rhys? Odd e mor neis i fi!
BRADWR!!
Ïfs, ni'n cradle snatsh
siarada am dy hunan Rhys!
PINSHO FI!
Fi methu, fi'n pinsho Rhys

blentyn. Pob grŵp o fechgyn yn mynd trwy'r broses 'na o dyfu fyny. Ond na, dwy' ddim wedi ame'n rhywioldeb i o gwbl. Ddim mwy nag oedd Îfs siŵr o fod, dim ond bod cymdeithas yn 'i drin e'n wahanol.

HOLWR Ti'n amddiffynnol iawn ohono fe.

RHYS Do't ti ddim gyda fe ar yr Wyddfa pan wedodd e wrtha i, pan o'dd digon o gyts 'da fe i ddweud wrtha i, nac ar fynydd Llanwonno pan lefodd e. Dyw gweld dy ffrind gore yn torri lawr fel babi bach ddim yn brofiad dymunol. O'n i mor grac y diwrnod 'na. Wy'n 'i gofio fe mor glir. O'n i jyst mor grac 'da pawb, Mam a Dad, yr ysgol, Y Rhondda, y byd! Mor grac 'da nhw am wneud i'n ffrind deimlo 'i fod e'n ffrîc. Wy' mor falch na weles i neb ar y ffordd gartre achos bydden i wedi ffrwydro.

HOLWR O ble ti'n meddwl ti'n cael y teimlad 'ma o warth anghyfiawnder?

RHYS Gu a Dad.

HOLWR Ddim dy fam?

RHYS Na. A bod yn hollol onest, ma' tuedd 'da Mam i gydymffurfio mwy. Gu a Dad yw'r ddou sy'n sefyll lan dros bethe, achosion. O'dd Dad yn Farcsydd chi'n gwbod.

HOLWR O'dd?

RHYS Wel cyn belled ag y gall cenedlaetholwr fod yn Farcsydd. A ma' Gu jyst yn *mad*.

HOLWR Ti'n eu caru nhw?

RHYS Â holl rym 'y modoleth i. *God,* odw. Ond wy'n becso am Gu. Wy'n dishgwl arni withe ac yn ei gweld hi mor ifanc ei hysbryd, popeth mae'n gweud a neud. Ond ma'n synnwyr i'n gweud hefyd, "Mae'n mynd yn hŷn, mae'r anochel yn mynd i ddigwydd". A sa i moyn iddo fe ddigwydd a wy' jyst ddim yn gwbod shwd allen i gopo hebddi. Sori, wy'n mynd i lefen nawr.

HOLWR Mae'n iawn. Mae'n dda gweld pobl sy ddim yn embarasd o'u hemosiyne.

RHYS Ni gyd fel 'na yn y'n gang ni. Llefen am rywbeth. Wy'n ca'l hwnna wrth Dad. Ma' fe'n esgus bod yn galed ond mae e mor sofft â sbynj mewn gwirionedd.

HOLWR Wyt ti wedi meddwl am flwyddyn nesa eto? O't ti'n crybwyll ar ddechre'r sgwrs yma nago't ti'n hollol siŵr ynglŷn â'r brifysgol.

RHYS Wy'n hollol siŵr 'y mod i'n ansicr – wedwn i fel 'na.

HOLWR Beth yw'r byd delfrydol 'te?

RHYS Aberystwyth, Cymrâg a Drama. Ond dwy' jyst ddim yn teimlo 'mod i ishe mynd 'na nawr. Tasen i'n gallu ca'l blwyddyn off, falle bydde hwnna'n helpu, a wy'n gwbod bydde Mam a Dad a Gu yn fodlon i fi neud 'na.

HOLWR Beth yw'r broblem 'te? Bydde blwyddyn bant yn teithio neu'n gweithio yn y gymuned yn gwneud lles mawr.

RHYS Teithio? Bydde. Ond gymint wy'n caru 'nheulu, ma' ishe amser off wrthyn nhw arna i. Chi'n cyrredd y pwynt lle byddech chi'n 'u caru nhw mwy 'sech chi ddim yn byw 'da nhw! Gwybod beth wy'n meddwl?

HOLWR Wy'n credu 'mod i. Shwd fath o berthynas sy rhyngot ti a dy rieni?

RHYS Grêt – wel y rhan fwyaf o'r amser. Ti'n gwbod dyw Dad ddim yn gallu siarad Cymrâg.

HOLWR Ydw.

RHYS Mae'n wiyrd, ti'n gwbod. Achos y'n bod ni wedi ca'l y'n magu'n ddwyieithog – Cymrâg 'da Mam a Gu a'n gilydd, Sisneg 'da Dad, wy' byth wedi bod yn ymwybodol ynglŷn â siarad Sisneg neu siarad Cymrâg.

HOLWR Dwy' ddim yn deall.

RHYS Wel reit, ma'r rhan fwyaf o bobl yn y'n hysgol ni yn siarad Sisneg gyda'i gilydd. Nawr do'dd hwnna ddim yn neud sens i fi erio'd. So wedyn wnes i ddim siarad Sisneg â neb yn y ddwy ysgol. Ag o'dd hwnna wrth gwrs yn cyfrannu at y syniad yma 'mod i'n *goody goody*. Pawb yn meddwl 'mod i'n crafu tin yr athrawon. Ond do'dd 'dag e ddim byd i neud â hwnna. 'Na beth o'dd yn naturiol i fi! A'r ffaith bydde Dad wedi rhoi gwd coten i fi 'se fe'n clywed 'y mod i'n siarad Sisneg! Na, jôc! Dyw hwnna ddim yn wir. Smo Dad wedi codi bys ata i na Sêra erio'd.

HOLWR Ti'n ffindo agwedd dy dad tuag at y Gymraeg yn ... wel, beth weda i, rhyfedd o eithafol?

RHYS Na.

HOLWR Ond mae e'n eithafol?

RHYS Mae e'n credu'n gryf.

HOLWR Ond ydy e'n eithafol?

RHYS Beth yw diffiniad eithafol? Nage 'i fai e yw e 'i fod e ffili siarad Cymrâg. Hyd y gwelai i, o'dd e'n gwbl benderfynol y byddai 'i blant e'n neud. Dyw hwnna ddim yn ymddangos yn eithafol.

HOLWR Ydy peintio shyters siopau yn enw Cymdeithas yr Iaith yn eithafol 'te?

RHYS O reit, a 'na pam bod y cwestiwn yna wedi dod.

HOLWR Mae'n bwysig 'mod i'n deall gymaint ag sy'n bosib ynglŷn â'r cefndir.

RHYS Rhif un, ydy e'n eithafol i garu iaith? Rhif dau ydy e'n eithafol i ddisgwyl i'r iaith frodorol gael ei pharchu yn ei gwlad ei hunan? Rhif tri, ydy e'n eithafol eisie sicrhau parch i'r iaith o fewn ffiniau'r gymuned? Na yw'r ateb i'r tri chwestiwn gyda llaw.

HOLWR Felly dyw torri'r gyfreth ddim yn broblem?

RHYS Wrth gwrs ei bod hi'n broblem! Ma' cyfreithie hefyd yn bod sy'n gwarchod yr iaith. Ond ma' cydwybod gyda phob un ohonon ni. Os yw cyfraith yn gyfraith ddrwg, ma'n rhaid i ni wrando ar ein cydwybod! Fel ma' Gu'n dweud, "Ma pob Ffaro yn codi rhyw Foses".

HOLWR Ond os wy'n cofio'n iawn, do'dd dy fam ddim yn hapus iawn ynglŷn â hynny i gyd.

RHYS Nago'dd. O'dd Mam yn ypset. Ag o'n i'n flin iawn ei bod hi'n ypset. Ond fel wedes i wrthi ar y pryd, tasen i'n gorfod gwneud rhywbeth fel 'na eto, bydden i'n dilyn 'y nghydwybod.

HOLWR Ti ddim yn credu bod hynny'n esiampl ddrwg i dy chwaer?

RHYS Frawd, *get a life*, ydy fe? Bydden i'n dadle mai 'na'r esiampl ore gallen i 'i rhoi i'n whâr. Dangos iddi bod egwyddorion yn bwysig. *God,* beth sy'n bod ar ych cenhedleth chi? Ofan popeth neu

YN LLUNDAIN – DAIRE YN DWEUD WRTH SPIKEY AM EI HUNAN, AC ÎFS YN GLUSTIAU I GYD.

beth? Tase Cymdeithas yr Iaith yn dibynnu ar ych cefnogeth chi byddai wedi marw ddegawde nôl.

HOLWR Os gawn ni symud mla'n. Ble wyt ti'n gweld dy hunan mewn deng mlynedd?

RHYS 'Na gwestiwn! Yn filiwnydd, ar fad yn byw bywyd cwbl ddiofid, ddim yn gorfod becso am ddim byd, yn enjoio byw.

HOLWR A'r realiti?

RHYS Bydda i'n ddau ddeg saith, morgais, dou blentyn, priod, ac yn difaru nag es i rownd y byd.

HOLWR Mewn gwirionedd?

RHYS Dwy' wir ddim yn gwbod. Wedodd Billy wrtha i unwaith mai fi o'dd yr un bydde'n cydymffurfio gynta, y cynta i briodi a chael plant a setlo. Ag o'n i mor *offended* ar y pryd gyda fe. Achos o'n i'n gweld y'n hunan yn rebel o ryw fath. Ond yn y bôn wy'n credu 'i fod e'n iawn. Licsen i wneud M A os wna i'n ddigon da – ond ar wahân i hynny, *pass*!

HOLWR Grybwyllaist ti briodas man 'na – ydy e ar yr agenda, ti'n meddwl?

RHYS Ody. Mewn realiti wy'n credu 'i fod e. Bydden i'n siŵr o fyw 'da rhywun am gyfnod itha hir i ffindo mas. *God* ma' hwn mor od. Siarad am 'rywun' sy mas yn y byd mawr nawr a wy'n siarad am rannu 'mywyd gyda 'i a dwy' ddim hyd yn oed yn gwybod os odw i wedi cwrdd â hi 'to. Mor od!!

HOLWR Ond falle dy fod ti wedi cwrdd â hi hefyd.

RHYS Ydy, ma' hwnna'n bosibilrwydd. O ych! Ma' hwnna'n neud i fi deimlo'n rhyfedd iawn.

HOLWR Shwd berthynas sydd gyda ti a dy chwaer?

RHYS Lysh y rhan fwyaf o'r amser. Dyw hi ddim yn gall ti'n gwbod. Mae mor debyg i Gu. A mae'n weindo Dad lan yn ofnadw! Mae'n gweud popeth wrtha i – ond amser te, withe, wediff hi am rywbeth ddigwyddodd yn yr ysgol amser whare. Echddo reit, wedodd hi bod crwt wedi dod â chondoms i'r ysgol a'u hwthu nhw lan a'u gollwng nhw'n rhydd yn y dosbarth. Wyneb Dad fel tarw chi'n gwbod. *"That's disgustin', Sêra. Headmaster should ban him from school."* A medde hi, *"Dad, ger a life is it, they were new ones!"* Ac wrth gwrs, ma' Mam yn *disgusted* a ma' Gu jyst yn wherthin. *"There we are, Mam-gu, raise her sleeve again!"* Mae'n donic iddi clywed nhw.

HOLWR Ife siarad tafodiaith dy fam a dy fam-gu yn fwriadol wyt ti?

RHYS Bwriadol? *Good God,* nage. Mae jyst yn rhywbeth sy'n digwydd pan wy'n siarad 'da nhw. Pam ti'n gofyn?

HOLWR Mae e fel pe bai dwy iaith Gymraeg gyda ti.

RHYS Wel o's mewn ffordd. Ond 'na'r teip o iaith ma' Mam yn siarad gyda Gu, a Mam a Gu gyda ni. Dyw e ddim yn broblem, ydy ddi?

HOLWR Na, dim o gwbl. Jyst yn dangos efallai faint o ddylanwad sydd gan y cartref ar blant. Beth fuodd uchafbwyntiau'r flwyddyn i ti?

RHYS W! Anodd. Yr isafbwynt oedd pido cael y Brif Swyddogeth.

HOLWR O'dd hwnna mor bwysig â 'na i ti?

RHYS Edrych nôl – o'dd. Do'n i ddim yn sylweddoli hwnna ar y pryd. O'dd e fel 'se nghyd-ddisgyblion i wedi dweud nago'n nhw ishe i fi gynrychioli nhw. Wel 'na'n gwmws beth wedon nhw, ife. Do'n nhw ddim y'n ishe i. A ffindes i hwnna'n anodd iawn. Ond 'na fe. O'dd hi'n wers. Ag o'n i'n gorfod dysgu o hwnna. Uchafbwynt? Llundain heb amheueth. Gwrddes i â'r ferch Wyddelig yma a dethon ni'n agos am gwpwl o orie!!!! Mam yn meddwl ei bod hi'n feichiog! *God!* Ymatebes i fel gymaint o brat man 'na, gredet ti ddim! Llinos yn cwpla gyda fi. Deall y teimlad o ishe marw. Ond wedyn Îfs yn gweud a fi'n sylweddoli pa mor hunanol o'n i yn meddwl am y'n hunan. Mam yn colli'r babi. Anodd. Anodd iawn. Mil o bethe. Ond trwy'r cyfan y ffaith y'n bod ni dal yn ffrindie yw'r un peth sy'n cydio. Mae'r cwlwm yna rhyngton ni mor gryf. Mae'n wych.

HOLWR Ac rwyt ti'n edrych ymlaen at fynd i'r Ddawns?

RHYS Odw. Wy' wedi addunedu i'n hunan 'mod i'n mynd i siarad â Llinos ac ymddiheuro iddi am fod yn horibl iddi.

HOLWR Mae hwnna'n gyfaddefiad mawr.

RHYS 'Y nghyfle ola i i fod yn neis iddi cyn mynd i'r Chweched Uchaf ontife!

HOLWR Diolch am siarad gyda fi, Rhys.

Bydden i wedi gwneud unrhywbeth i gymryd poen Ifs i ffwrdd y diwrnod yma. Erioed, erioed wedi teimlo mor flin dros neb. Byth eto!

SHA - ein mam ni oll.

FFRIND ANHYGOEL, TASE PETHE'N WAHANOL...

Llinos, fy nghariad cyntaf - yr unig un?

"Mam, pwy yw'r dyn 'na tu ôl i ni?"

WHO'S SGWÎSO BALLS NI?

spikey

HOLWR Enw?

SPIKEY Spikey.

HOLWR Enw iawn.

SPIKEY Steffan.

HOLWR Enw llawn?

SPIKEY *Mind your own business.*

HOLWR Ti'n sensitif ynglŷn â dy gyfenw 'te?

SPIKEY Nyh, fi jyst yn dweud i ti meindo *own* busnes ti. *It's my name* a fi ddim yn hoffi ef so fi jyst yn dweud beth yw enw cyntaf fi. Hwnna'n ffair?

HOLWR Ym Mhorthcawl.

SPIKEY What?

HOLWR Gofynnest ti os oedd ffair?

SPIKEY Ffair! Ffair, myn! *Is it fair! God,* ti methu siarad Cymraeg neu beth?

HOLWR Sori, wy'n deall nawr.

SPIKEY *Aye, should think so too.* Ti eisie mynd i ysgol Cymraeg, byt. Ti'n gallu deall ni'n siarad wedyn.

HOLWR Fe gofia i 'na. So ydy fe'n iawn os gofynna i gwpwl o gwestiyne i ti?

SPIKEY Ie. *As long as* nhw ddim yn dŵo *'ead* fi mewn.

HOLWR Fe dria i bido. Oedran?

SPIKEY *Seventeen goin' on seven.*

HOLWR Dyddiad geni?

SPIKEY Mehefin yr unfed ar hugain. Hoffi Cymraeg fi? Peth cyntaf fi'n dysgu yn ysgol gyn o'dd hwnna.

HOLWR Lliw dy lygaid?

SPIKEY *I don' know.* Fi ddim yn edrych ar nhw.

HOLWR Taldra?

SPIKEY Big enyff!!!!

HOLWR Pwysau?

SPIKEY Personol. Efallai fi'n sgini, ond fi'n *'arrrrd as a rrrrock!*

HOLWR Ti'n byw yn y Rhondda, Spikey. Ydy fe'n lle neis i fyw?

SPIKEY Stoncin! Boncin! Zoncin! *Best* lle ar yr yrth mae yn …

HOLWR Pam …

SPIKEY Paid interypto fi plîs, fi'n siarad!

HOLWR Mae'n ddrwg 'da fi. Y Rhondda.

SPIKEY *You got it.* Rhif un reit, fi'n byw yma so mae'n gorfod bod yn *brilliant* lle i byw. Rhif dau, mae teulu fi'n byw 'ma so mae'n gorfod bod yn lle *brilliant* i byw a rhif tri … rhif tri … wel, fi methu meddwl am rif tri, ond os oedd fi'n gallu meddwl am rif tri bydd e rhywbeth i neud bod e'n lle *brilliant* i fyw. Ffair enyff?

HOLWR Ydy. Ffair. Wyt ti'n lico'r ysgol, Spikey?

SPIKEY Lyfo fe, fi yn. Absoliwtli lyfo fe ers Miss Esyllt *I want to make love to her* a boddi yn ei llygaid hyfryd – 'yr wylan wen ar lanw diloer' *and all that*. Ti'n nabod hi? Notis fel fi wedi dweud hwnna'n iawn *then?* Nabod hi. Ti fod i **nabod** person a **gwybod** ffaith and *I know* ddis iz ê ffact, fi mewn lyf gyda hi yp to mei armpits! Ti hoffi ddi?

HOLWR Wel ody, mae'n fenyw brydferth iawn.

SPIKEY *And she's a gog.* Bydd ti byth yn geso, byddi di?

HOLWR Na.

SPIKEY *See,* fi ddim cael unrhyw prejiwdysus.

HOLWR Mae hi wedi dy gael di i garu'r Gymraeg.

SPIKEY Fi'n lyfo Cymraeg eniwei. Fi jyst lyfo fe mwy ers hi wedi dod i'r ysgol. Ond fi ddim yn impresd gyda lanc *boyfriend* hi. A fe'n dysgu siarad Cymraeg. Hwnna wedi ypseto fi icl bit fel. Ond fi'n matiwro a dod dros fe nawr.

HOLWR Mae'n ddrwg gyda fi, ond dwyt ti ddim yn credu dy fod ti braidd yn ifanc iddi?

SPIKEY Na. *Next question*.

HOLWR Rhyw.

SPIKEY *Yes and lots of it.* Beth ti eisiau gwybod? Ddim wedi cael lot o wersi Bioleg pan ti'n ifanc, o'n nhw?

HOLWR Rhywbeth fel 'na. Ti'n siarad lot amdano fe.

Roedd y bastard cow yma gyda balls wedi chaso fi yn y ffîld – GIT!!! Bîff byrgers ffor ever ei sei! Gyda tomato relish.

FI'N ATACO'R COW GYDA BALLS

FI YN ARWAIN PAWB I WELD SYR T.H. PARRY WILLIAMS BLÔC YNA.

Billy yn marw yn cerdded! Ha!

Fi a Spans, Elvis a Dymps yn joio ar y 125! Ha!

MÎN, KÎN A SECSI YN Y RHONDDA!

Llinos cŵl ferch!

Dymps, I will eat!.

Raz not if I got there first

Rhys, fe'n cŵl

Billy ffwd = secs

ginger minger

Rhids shîp shagger

PRISÎ shago unrhywbeth

FI

SPANS, sofft git

Sha my lyf

SPIKEY Wel aye, myn. *That's life* pan ti'n oedran fi. Hwnna sy ar meddwl ti lot o'r amser. Bechgyn gyd yn siarad amdano fe.

HOLWR Dwyt ti ddim yn ffeindio hwnna bach yn *boring*?

SPIKEY Na. Hei bachgen, fi ddim mynd i fod yn *young* trwy bywyd fi ydy fi? Fi gorfod llanw fy mywyd gyda phrofiadau nawr er mwyn cael lot i gofio am pan wy'n dri deg.

HOLWR Ti'n credu bod tri deg yn hen?

SPIKEY *Big time. Mega.*

HOLWR Wedyn, ydw i'n gallu gofyn cwestiwn personol iawn i ti.

SPIKEY Ti gallu gofyn, fi ddim gorfod ateb.

HOLWR Wyt ti dal yn wyryf?

SPIKEY What?

HOLWR Gwyryf? Ti?

SPIKEY *I know what it is right!* Fi wedi edrych yn y geiriadur ar gyd o'r geiriau nôti yn Gymraeg. Leic clwy gwenerol! Ti wedi sylwi, 'sdim llawer geiriau drwg yn Gymraeg! Strênj, nady fe? Pobl Cymraeg i gyd yn neis, *sure to be*. Ydw.

HOLWR Sori.

SPIKEY Ti wedi gofyn, fi wedi dweud. Ydw.

HOLWR O. Sut wyt ti'n teimlo am hwnna?

SPIKEY *Next question.*

HOLWR Ti ddim eisiau siarad amdano fe 'te?

SPIKEY Ti'n *perv or what*? *It's my sex life.*

HOLWR Mae'n ddrwg 'da fi. Do'n i ddim yn bwriadu ymyrryd.

SPIKEY *And you better not tell anybody else chwaith.* Deall?

HOLWR Wrth gwrs.

SPIKEY Fi wedi dweud i bawb arall fi wedi neud e. Bechgyn gyd yn credu fi. Sharon yn credu fi. So fi'n gorfod cadw *image* fi lan. Eniwei, fe ddim yn *all that* pwysig, ydy fe? *It will happen* os fi eisie i fe ddigwydd a phan fydd e'n digwydd *I will be a responsible adult*. Ti'n gweld, byt, fi'n un deg saith nawr. Fi'n tyfu lan.

HOLWR Ydy dy ffrindiau'n bwysig i ti?

SPIKEY *My God, dull question.* Hwnna fel gofyn os yw wili fi'n bwysig i fi. *And I can't live without that,* ydy fi?!!! Wrth gwrs nhw'n bwysig i fi. Ffrindiau fi'n popeth i fi, myn.

HOLWR Pwy yw'r pwysica' ohonyn nhw?

SPIKEY Sharon. Nhw gyd yn bwysig, reit. Fi'n lyfo nhw gyd. Wel fi ddim yn siŵr am Rhids weithie *cos 'e can be a git.* Fi'n lyfo nhw gyd ond mae Sharon – hi'n ddy biz, myn. Bywyd fi jyst ddim yn iawn os Sharon ddim o gwmpas. Reit fi'n mynd i dweud rhywbeth i ti nawr *and you better not* dweud wrth neb arall achos os ti yn ti'n *dead*. Ond diwedd blwyddyn deg reit, o'dd Sharon wedi cael trawma a wedi trio lladd hunan hi.

HOLWR Do.

SPIKEY Os oedd Sharon wedi marw, *and thank God* o'dd hi ddim, ond os oedd hi, fi ddim yn credu fi gallu fforgifo hunan fi. Ddat is ddy onli teim fi wedi crio o flaen pawb ers y gynradd. Yn y dosbarth reit, fi'n cofio fe nawr, hen athro drama ni, Prys Olivier, wedi dweud i ni bod Sha wedi cymryd *overdose* a fi jyst wedi craco lan. *Worst time* yn bywyd fi o'dd hwnna yn.

HOLWR Wyt ti'n credu bod eich cyfeillgarwch chi'n gryfach nawr oherwydd hynny?

SPIKEY Deffinit. Os ti'n mynd trwy *somethin'* fel 'na, ma fe'n newid ti tu mewn. Fi methu rhoi e mewn geiriau. Ond Sharon fel *breath* fi. Os hi'n mynd, fi'n mynd.

HOLWR Ti wedi ystyried mynd allan gyda 'i erioed?

SPIKEY *You're a perv!* Sharon yn ffrind, secs ddim yn dod mewn iddo fe gyda Sha, myn!

HOLWR Chi'n ffrindiau platonic.

SPIKEY *I thought that was a group.*

HOLWR Catatonia.

SPIKEY Egsylynt grŵp, "Every day when I wake up I thank the Lord I'm Welsh." Digon i neud ti mynd i'r capel nady fe?

HOLWR Wyt ti'n anifail politicaidd, Spikey?

SPIKEY *Who you calling a hanimal?*

HOLWR Na, beth wy'n meddwl yw, o's diddordeb gyda ti mewn gwleidyddiaeth?

SPIKEY Beth, Tony Blair bla di bla *and all that*?

HOLWR Ie.

SPIKEY Byth wedi meddwl am fe. Fi'n lyfo gwlad fi – Cymru. *In' that enough*?

MAM DAD

SO SHAMIN!

FFRINDIAU AM BYTH

HOLWR Wrth gwrs. Ond pan o'dd y Refferendwm i gael Cynulliad i Gymru, o't ti o blaid?

SPIKEY Oi, pal. *Have I got a* trwyn *on my face*? Wrth gwrs, roeddwn i 'o blaid'. *Dull question, myn! It's my country*. Ti wedi bod i goleg i learno sut i ofyn *dull questions or is it just a gift you got like*?

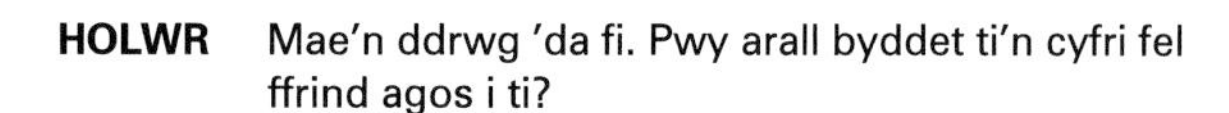

HOLWR Mae'n ddrwg 'da fi. Pwy arall byddet ti'n cyfri fel ffrind agos i ti?

SPIKEY Nhw gyd, myn. 'Na beth sy'n bwysig ambythdi grŵp ni. *All for one and all for twelve.* Telo ti pwy wy'n rîli edmygu ddo – Îfs.

HOLWR Ie, o'n i eisiau gofyn i ti am hwnna.

SPIKEY Heisht, *I'm talkin'*. Reit, fi'n gorfod dweud hwn, a wy'n gwybod bydd e'n dod fel sioc i ti, ond o'n i arfer bod yn prejiwdisd, reit. Falle fi arfer bod yn *racist* hyd yn oed. Fi ddim yn siŵr. Ond y pwynt yw, pan oedd Îfs wedi dod allan i ni lan yn y parc

ORGASM ON LEGS.

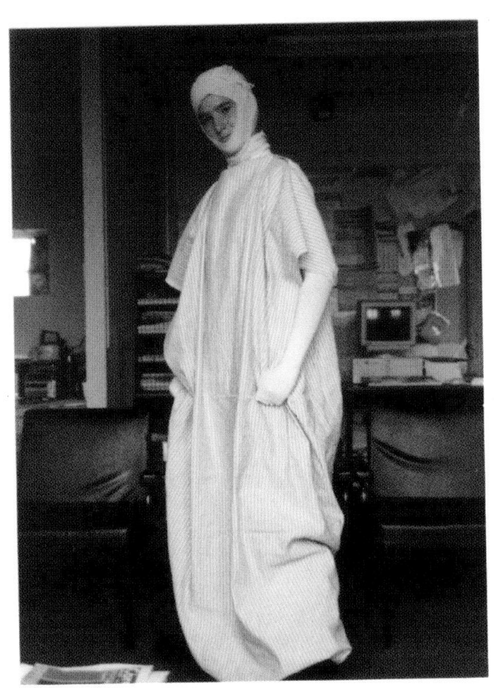

Jyst neis i sgero'r cach maso Bechadur!!

mae fen' loving sheep jyst allan o'r llun yma yn hanging for it!

Orgasm eto!

bastard lwcus!

"GWLAD! GWLAD! PEIDIO WYF I'M HAD!"

ddat teim, o'dd e jyst wedi dŵo *'ead* fi mewn. *And there we were*, jyst eistedd yna *and one of my* ffrindiau jyst wedi dweud un o'r pethau mwyaf anodd i ni. *I felt like such a wimp* ti'n gwybod. *Like*, os oedd e'n fi, fi ddim yn credu fi'n gallu neud e. *Like*, ti'n mynd lan i ffrindiau ti a dweud, o esgusodwch fi, *by the way*, wy'n *heterosexual! I tell you*, that bachgen *is the absolute dog's* bolacs lle wy' yn y cwestiwn. A gwybod beth, o'dd rhywun wedi bod yn rîli bastardish iddo fe yn yr ysgol, danfon cachu

Fi'n edrych ar y beirdd.

BEIRDD

trwy'r post a phethau ac Îfs wedi ffeindio mas pwy oedd wedi neud ef. *But he never told us.* Dal ddim wedi dweud wrth ni!

HOLWR	Wyt ti erioed wedi amau dy rywioldeb, Spikey?
SPIKEY	Fi ddim deach.
HOLWR	Wyt ti wedi amau erioed gallet ti fod yn hoyw?
SPIKEY	Fi! *You cheeky git!* Fi ddim yn pwff!
HOLWR	Ond mae Ifan.
SPIKEY	Oi! Paid siarad fel 'na am ffrindiau fi. *You're avin' me on, in' you?*
HOLWR	Na, roedd e'n gwestiwn difrifol.
SPIKEY	*Do I look like a gay?*
HOLWR	Ydy Ifan?

Mae wili fi jyst
lan by 'ere!!

Os fi'n
edrych
yn
little
pypi dog,
meddwl bydd
miss eisiau
snogo
fi?

SPIKEY Nagyw. Ond fe yn. *O this is doin' my head in.* Beth ti'n geto at, pal?

HOLWR Mae pawb, ar ryw bwynt yn eu bywyd, wedi cwestiynu eu rhywioldeb.

SPIKEY Fi'n hoffi merched.

HOLWR Wel diolch, dyna'r ateb. Symudwn ni mlaen.

SPIKEY Ti ddim yn neud fi dowto na dim byd.

HOLWR Wel mae hwnna'n dda.

SPIKEY Ond fachlle bydd pobl yn credu fi'n hoyw *as well*.

HOLWR Byddai hynny'n broblem?

SPIKEY Problem! Problem. Fi'n lifo in Maerdy! Mae bod yn Cymraeg yn problem yn Maerdy! *Gay Welsh*! O mei God, *I'd better buy a coffin now*!

HOLWR Ond dwyt ti ddim yn hoyw, wedyn dyw e ddim yn broblem.

SPIKEY *I'll 'ave a 'mare' for three days now.*

HOLWR Fe symudwn ni ymlaen. Pam wyt ti'n credu nad yw Îfs wedi dweud wrthoch chi pwy wnaeth y pethau cas yna iddo fe?

SPIKEY *'Cos 'e knows there would be a blood bath in the* Uned *if we found out*! Pwy bynnag fe neu hi yn, *they can thank their* sêr lwcus bod *Îfs the kind of person* fe yn. *'Cos* fe neu hi'n cael cicin am neud hwnna i ffrind fi.

HOLWR Wyt ti'n berson treisgar 'te?

SPIKEY Beth ma hwnna'n meddwl?

HOLWR *Violent?*

SPIKEY Geroff, fi'n sofft *as Slush Puppie* ond fi'n dweud wrth bawb fi'n *'arrrrrd as a rrrrrrock*! Gwd *catchline*, nady fe?

HOLWR Ydy fe'n anodd siarad Cymraeg lle ti'n byw ym Maerdy?

SPIKEY Ti byth wedi bod yn Maerdy *on a Saturday night*?

HOLWR Naddo.

SPIKEY Obfiys *by your question*. Sut fi'n gachllu dweud. Lle wy'n byw, ti gorfod ffito mewn. Nawr wy'n gwbod ni gyd yn Cymraeg, reit, ond mae bois jyst tipyn bach yn jelys bod fi gallu siarad Cymraeg a nhw ddim yn gallu. Dim bai nhw na dim byd, reit, ond nhw gallu mynd yn *ape* cos nhw ar y myshrŵms neu pethe.

HOLWR Ydy cyffuriau'n broblem lle ti'n byw?

SPIKEY *O no, it's not a problem, pal*. Mae e'n *way of life* a chyn ti'n gofyn, na fi ddim. Fi ddim mewn i hwnna. Fi ddim wedi trio dim byd *and I don't want to.* Fi lico bod *in control.*

HOLWR Gallen i ofyn i ti pa fath o berthynas sy rhyngot ti a dy rieni?

SPIKEY *Love hate.*

HOLWR Sori?

SPIKEY *Love hate*, myn. Fi'n hêto nhw weithiau a fi'n lyfo nhw weithiau. Ond nhw ddim yn teimlo fel 'na am fi. *They just love me. Well my mother does.* Mamau'n sofft, nadyn nhw?

HOLWR A ti yw'r unig blentyn.

SPIKEY *One of me is enough* byti!

HOLWR Ti'n credu bod hwnna wedi effeithio arnot ti mewn unrhyw ffordd?

SPIKEY Ie. Fi'n cael lôds o arian amser Nadolig off gyd o antîs fi a Mam a Dad yn rhoi popeth i fi fi eisiau.

HOLWR Beth byddet ti'n gweud yw'r peth mwyaf cynhyrfus sydd wedi digwydd i ti?

SPIKEY *Since last night* yn gwely, like?!! Ha! Cael ti nawr, ti wedi mynd coch!

HOLWR Ydw.

SPIKEY Wel, byti, ddat iz ddy îsiyst cwestiwn yn y byd i ateb. Ennich y wobr gyntaf (notis ddy treiglad) yn Eisteddfod Genedlaethol ddy Hurdd yn Wrecsam. Gwybod beth, fi ddim credu bod unrhyw beth yn bywyd fi mynd i fod yn gwech na hwnna achos o'dd hen athro drama ni, Prys Olivier, (o'dd e'n laff, aye) wedi trio cael ni i neud pethau a ni dim yn dda iawn achos drama athrawes cyn fe yn tospot (hi'n hoplys). Eniwei, fe wedi dod a wedi rhoi ffydd i ni a fe wedi perswadio ni i drio yn steddfod sir ... *Am I goin'* tŵ ffast i ti? Wel tyff achos fi'n ecseitid iawn nawr ... ag o'n ni wedi went i Steddfod ac aros in Tryweryn a fi a Rhids wedi pisho yn y dŵr (cofio to bach ar ŵ) achos nhw wedi nico gwlad ni a rhoi dŵr i *Liverpool* a nhw'n gwd tîm pêl-droed ond fi ddim yn hoffi nhw'n nico gwlad ni ... eniwei, wedyn o'dd fi a'r bois wedi aros ar y fferm yma a'r fenyw yma'n cael stoncin hiwj *Range Rover* pedwar litr a Billy wedi slipo ar y ffarmiard a chwympo yn y cachu buwch ag o'dd pedwar plant gyda nhw a nhw dim ond yn *young* ond fi wedi dweud i Îfs bod e'n *well known fact* am gogs bod nhw'n secsiwali oferactif a hi wedi paratoi hiwj bwyd i ni (ei mîn ddis was a cow on ddy têbl wedi cwcio), fi'n meddwl bod Billy'n mynd i ca'l *mare* o'dd e mor ecseitid a noson 'na reit o'n i wedi neud strip i'r bois … chi'n gwybod, jyst laff fel achos fi'n paratoi mynd i'r gwely yn y carafán yma o'dd yn y *barn* a ges beth – o'dd y fenyw wedi dod mewn reit in ddy miggle o strip fi a fi wedi fflasho popeth i hi (o mei God, woz ei embarisd *or what*?) fi methu credu bod hen fenyw wedi gweld wili fi *and* fi'n dweud i chi nawr its a neis sized wili, not ddat's *important* fi'n gwybod, ond mae'n bwysig i fi, eniwei, dydd nesaf (ti'n enjoio stori 'ma nawr, wyt ti) dydd nesaf o'dd y rhagbrofion, *I am tellin' you* oedd fi'n cachu plancs *as big as trees* o'n i mor scêrd … wel pawb, leic, achos ddis is seriys styff – cynrychioli ysgol chi a gwlad chi a iaith a ddim eisiau gadel Prys Olivier lawr, leic, ar ôl holl waith caled fe, wel os ti'n meddwl ddat wes scêri *you should 'ave seen* Billy'n rhedeg ar draws y cae i dweud i ni ni wedi cael llwyfan – *'e 'ad a mare* achos fe ddim yn gallu brîddo na dim byd … gyd yn *red* yn wyneb e a wedyn ni gyd wedi mynd yn *ape* a sgrechian a chwtsho a chrio, wedyn nhw'n dweud ni gorfod neud e on ddy big stêj achos fi'n meddwl ni wedi ennill yn y bore a fi wedi dweud noweifimyndarymancinminginhiwjstejinbydder – jyst fel 'na fi wedi dweud e heb dynnu breth o gwbl, ond fi wedi, leic, ond fi gorfod dweud hyn, leic, fi ddim yn cofio *one second* o'r perfformans ar y llwyfan mawr – ddim wyn second, o'dd e wedi fflasho heibio ynder mei trwyn a 'na gyd wy'n cofio yw'r loudspîcyr yn dweud "CYNTAF YSGOL GYFUN GLYNRHEDYN" a fi'n teimlo bo fi wedi mynd i *heaven* achos o'n i wedi sycsîdo mewn rhywbeth am y tro cyntaf mewn fy mywyd. Fi wedi gorffen. Ti'n edrych yn siocd.

HOLWR Na. Dim o gwbl. Wedi 'nghyfareddu gyda'r ffordd ti'n dweud y stori.

SPIKEY Hwnna'n *compliment,* ydy fe?

HOLWR Ydy.

DIWRNOD CYNTAF BLWYDDYN UN DEG DAU,
ONE HANGING, MINGING, TGAU, OND
FI STILL YN DEAD HARD BASTARD!

SPIKEY Salreit 'te, nady fe?

HOLWR Beth wyt ti eisiau gwneud yn y dyfodol 'te, Spikey?

SPIKEY Hwnna yn egstrîmli anodd cwestiwn. Fi ddim eisiau tyfu fyny. Hwnna'n swnio'n stiwpid? Ond fi ddim. Paid gero fi rong nawr, fi'n caru Miss Esyllt. Ond most tîchyrs, reit, os nhw'n represento beth mae fel i fod yn adylts, *I don' want to be one*!

HOLWR Sneb ti'n eu hedmygu nhw ar y staff 'te – ar wahân i Miss Esyllt ap Einion?

SPIKEY *You go' me by the short and curlies by there,* bachgen. Ie, fi'n edmygu Dom, athro drama ni am fod yn athro da *and all that* – ond fi ddim eisiau bod fel fe, rhedeg o gwmpas yn edrych yn *worn out all the time* achos ni'n rhoi tyff teim i fe.

HOLWR Ti ddim yn ystyried bod yn athro 'te?

SPIKEY *That is such a good joke*. Fi yn athro! Ti'n gallu dychmygu fi'n talko Cymraeg fel hyn mewn dosbarth? *Get a life*, ydy fe?

HOLWR Beth yw gwaith dy dad?

SPIKEY Gweithio yn ffatri Chubb's yn Maerdy gwneud *fire things* i roi ffeiyrs allan.

HOLWR Diffoddyddion tân.

SPIKEY Aye, nhw *as well*.

HOLWR Wyt ti'n meddwl byddi di'n gwitho mewn ffatri 'te?

SPIKEY *Geroff, most boringest job* yn y byd, hwnna yn. Pam ti'n meddwl tad fi byth yn dweud dim byd. *'E's been bored to death by machines and* mei mydder.

HOLWR Wedyn?

SPIKEY *What?*

HOLWR Do's dim syniade gyda ti?

SPIKEY Dôl.

HOLWR A dim byd arall?

SPIKEY Paid dŵo *'ead* fi mewn nawr, byt, ydy fe? Fi ddim eisiau meddwl am *things* fel 'na – dipreso fi. Mae'n galed, myn, nady fe. Fi ddim cweit cael digon o frains i gael *tidy job*, a fi'n cael gormod o frains i neud shiti job, so ble mae hwnna'n gadael fi? Yn y canol leic, gyda un goes *goin'* un ffordd a choes arall *goin'* ddy ffordd arall *and my* cerrig *flyin' in mid air*.

HOLWR Wyt ti'n teimlo'n grac abythdi 'na?

SPIKEY Na! Jyst lyc of ddy draw, nady fe? Dim byd ti'n gachllu neud amdano fe. Jyst derbyn e a gero *on with life*. Ddim yn meddwl fi'n *any less of a person* oherwydd ef, ydy fe?

HOLWR Nagyw, wrth gwrs, dyw e ddim.

SPIKEY Diolch.

HOLWR Rwyt ti ar fin mynd i *Ball* y Chweched, Spikey.

SPIKEY *I can not wait!* Bechgyn i gyd wedi heiro'r siwts yma gyda dici bows ffynci a phethau ni'n edrych yn lysh *and if I don't pull Miss Einon off* y stiwpid lanc boyffrend hi noson honno, *I will never*. *Well you know,* wy'n gorfod dweud *I do look* gorjys!

HOLWR Wedyn ti'n edrych ymlaen?

SPIKEY *You bloody bet I am*, fe'n mynd i fod yn *best night* o bywyd fi so far achos fi'n ymddwyn yn barchus mewn siwt parchus!

HOLWR Diolch am siarad gyda fi, Spikey. Gobeithio gei di noson fendigedig.

Fi'n cweit good looking by 'eve!

Second best ffrend fi – Llinos. Hi'n posh and ordinary as well a hi'n neis i fi lot o'r amser a rhoi cwtshus i fi a fi'n rhoi un i hi os hi'n gofyn

Fi ar ben yr Wyddfa - dolcan yn hapus. Iwso preshys caloris i fyny yn cerdded

Intellectiwal hwc fi. hwn yn feri difficult i fi

Fi!! Obfiysli. Ōn i'n dost by'ere, jyst dan bump stōn - mind you, considerin fi'n 4 yrs hen - not bad!

dymps

HOLWR Enw?

DYMPS Dymps.

HOLWR Enw iawn a llawn.

DYMPS Andrew Dovinchy Phillips.

HOLWR Dyddiad geni?

DYMPS Tachwedd 14.

HOLWR Oedran?

DYMPS 48 wast.

HOLWR Na, eich oedran?

DYMPS O sori. Un deg wyth sometime ym mis Tachwedd! Jôc!

HOLWR Beth licet ti i fi dy alw di? Dymps neu Andrew?

DYMPS Chi'n gallu galw fi'n *fat bastard* os chi eisie.

HOLWR Dweda di.

DYMPS Dymps. Fi'n teimlo'n fwy cyfforddus gyda hwnna.

HOLWR Iawn, Dymps. Dy enw canol di. Dyw e ddim yn enw Cymraeg.

DYMPS Na, *Polish*. Ond fi ddim wedi dweud enw yna wrth neb ers *million years*, wedyn bydda i'n gwerthfawrogi os taw dim ond rhwng fi a chi bydd hynny'n digwydd.

HOLWR Wrth gwrs. Beth yw tarddiad yr enw?

DYMPS Beth, fel y tar ma' nhw'n rhoi ar yr hewl?

HOLWR Mae'n ddrwg gen i – tarddiad. O ble mae'r enw wedi dod?

DYMPS O. *Poland*. Gwlad Pwyl.

HOLWR Oes rhai o dy deulu di'n hanu o fan'na?

DYMPS Beth chi'n meddwl, hanu?

HOLWR Yn dod o 'na'n wreiddiol?

DYMPS O na, jyst o'dd tad-cu fi yn yr ail ryfel byd, e'n sowldiwr. Ac ro'dd e wedi dod yn ffrindiau gyda rhywun o'dd e wedi achub o *concentration camp*, ac o'dd e wedi addo bydde fe'n cofio'r person yma a phan o'n i wedi cael fy ngeni, roedd e wedi gofyn i'n fam a nhad roi enw canol i fi. Fi ddim *ashamed* o fe na dim byd. Braint fel, nady fe, cael enwi ar ôl rhywun roedd Hitler wedi trio lladd, ond mae jyst yn *long story* i ddweud bob tro mae rhywun yn gofyn am fe.

HOLWR Wyt ti wedi darllen am hanes yr ail ryfel byd a'r gwersylloedd carchar?

1. Fi yn rholio lawr bryn yr ysgol – mewn rysh i gyrraedd y gwaelod

DYMPS Wrth gwrs. Gwarthus. Fi jyst methu credu bod pethau fel 'na wedi digwydd. Amhosib, nady fe? Pigo ar bobl jyst achos nhw'n Iddewon. Miss wedi dysgu ni taw gair am hwnna yw rhagfarn – prejiwdis yn Saesneg. Teribl peth, rhagfarn.

HOLWR Wyt ti wedi dioddef ohono fe erioed?

DYMPS Beth? Rhagfarn?

HOLWR Ie.

DYMPS Na, pam ddylai fi?

HOLWR Wel, dy faint. Mae pobol dew fel arfer yn dioddef tipyn bach.

DYMPS Pwy ysgol chi wedi mynd i *then*, byt?

HOLWR Dyw hwnna wir ddim yn berthnasol.

DYMPS Wel, i ateb eich cwestiwn – na, fi ddim wedi dioddef o ragfarn o gwbwl! Pam ddylai fi? Wy'n dew, *big deal*, nady fe? Lot o bobl yn denau. Îfs yn hoyw ac Andrew Bechadur yn ygli! Ni ddim yn dal rhagfarn yn erbyn nhw am pethau yna, ydyn ni?

HOLWR Rwy'n cytuno'n llwyr. Trio ffeindio'r darlun cyfan ydw i.

DYMPS Ddim yn ysgol yma, byt. Polisi parchu gilydd yn ysgol yma. *Mind you*, fi'n gorfod cyfadde pan wy'n cnecu, mae pobl yn gallu bod yn gas.

HOLWR Pam hynny?

DYMPS Achos wy'n cnecu'n ffyrnig siŵr o fod!! Ha! Un peth mae Duw wedi rhoi i fi reit – ffyrnig *bowels*! 'Na pam pawb yn galw fi'n Dymps achos, gweld, fi'n gorfod mynd i'r tŷ bach yn amal – ydy hwn yn rhoi ti off dy goffi – na? O cê.

HOLWR Wyt ti'n gweld dy hunan yn debyg i Billy o gwbwl?

DYMPS *I wish*! Na, Billy *miles* ar y blaen i fi. Ond fi'n trio dal lan leic. *Proud* o fe.

HOLWR Wedyn mae'n wir dweud does dim *'hang-ups'* gyda ti ynglŷn â bod yn dew?

DYMPS Nagoes.

HOLWR Wyt ti'n caru gyda rhywun Dymps?

DYMPS Ddim ar y funud.

HOLWR Ond ma' rhywun wedi bod?

DYMPS Ddim rîli. Jyst potshan leic.

HOLWR Gyda phwy?

DYMPS Hoi, hwn *bit* personol, nady fe?

HOLWR Does dim rhaid i ti ateb dim os nad wyt ti'n dewis.

DYMPS Wel, olreit, wy'n trysto ti. Onest wyneb fel. O'dd Raz a fi wedi cael *little* potsh.

HOLWR Pa mor fach?

DYMPS Wel fi methu help os Duw ddim wedi bleso fi fel Prîsi.

HOLWR Doeddwn i ddim yn sôn am hwnna. Am ba mor hir buest ti a Raz yn 'potshan'?

DYMPS O? Sori. Pobl yn weindo fi lan, twel. Wel, rhoi e fel hyn, bythdi hanner awr.

HOLWR Dim byd hir-dymor, te.

DYMPS Na, fi methu rhoi *commitment* fel yna. Wel, dweud y gwir, o'dd e mwy fel snog yn erbyn wal y ganolfan chwaraeon.

HOLWR Snog?

DYMPS Ie. A licl *massage* achos oedd sgwydde fi bit *sore*.

HOLWR *Massage*?

DYMPS Ie, ti'n gwybod. *Massage*. Neis hefyd. *Except* o'dd Prîsi wedi dod rownd a gweld Raz yn rhoi'r *massage* i fi a wedyn o'dd e wedi rhedeg a dweud i bawb bod fi wedi cael codiad, irecshyn yw hwnna yn Gymraeg – achos o'dd bylj yn siorts fi . Ond hwnna jyst ddim yn wir. Wrth gwrs, yn ysgol diwrnod nesaf pawb yn gwneud jôcs ambythdi pethau'n codi'n sydyn. Prîsi'n git.

HOLWR Ti ddim yn 'i lico fe?

DYMPS O na, fi'n caru fe, leic, ond fe jyst yn git.

HOLWR Defnyddiest ti'r gair 'caru' nawr wrth sôn am un o dy gyd-ddisgyblion di.

DYMPS Ie.

HOLWR Ydy hwnna'n emosiwn braidd yn gryf i ddisgrifio cyfeillgarwch?

DYMPS Na. Hoi, byt, cyfeillgarwch yn golygu popeth i fi. Absoliwtli popeth, gwybod? Un peth sy'n clymu fi a ffrindiau fi at ein gilydd a hwnna yw cyfeillgarwch. A fi yn caru nhw.

merched yn credu nhw'n gweld comet yn yr awyr achos fi'n troelli mor gyflym

2. Fi still yn rholio

3. Fi'n codi – bit dazed

HOLWR Hyd yn oed y bechgyn.

DYMPS Hoi, byt, ti'n homoffobic neu beth?

HOLWR Na, dim o gwbwl. Mae mor iach i weld dynion ifanc yn gallu ac yn barod i fynegi eu teimladau fel hyn. Mae e i'w ganmol.

DYMPS Wel fi ddim yn gweld *what's the big deal*. Gorfod dweud beth ti'n teimlo. Dim dal dim byd nôl nady fe.

HOLWR Dyw pawb ddim fel 'na.

DYMPS Na, fi'n gwybod. Rhys gallu bod tipyn bach lan ei pen-ôl ei hunan weithie – a cyn ti ofyn, ydw, fi stil yn caru fe.

HOLWR Dim problem gydag Îfs yn dweud y gwir wrthot ti 'te?

DYMPS *Not in the least*. Os oedd e ddim yn ffrind gorau Rhys, *I wish he was mine.*

HOLWR Beth wyt ti'n credu bydd yr adwaith yn yr ysgol pan ddaw'r athrawon i wybod am Îfs?

DYMPS Cyn *or after* i Andrew Bechadur gael balistic, epidropsic *mare*? Dweud y gwir, reit, ysgol ni yn *pretty cool* gyda phopeth. Wel, athrawon sy'n dysgu ni yn lefel A yn hollol cŵl. Ond mae Andrew Bechadur – fi'n credu fe'n deinosor wedi dod mas o DNA o *Jurassic Park* fel deinasor tîchyrs. Man, fe ddim yn rîal! Ni wedi cael row 'ma unwaith reit ym mlwyddyn un deg un. Pan oedd e'n siarad i ni am y Beibl. Prat myn! E'n dweud bod arch Noa wedi cael ei ffeindio ar fynydd mewn gwlad Twrci! *Can you believe that? Even* fi'n gwybod dyw e ddim yn posib ffeindio *bit of rotten wood* a gwybod *it belonged to a person that didn't* bodoli ar wahân i ddychymyg pobl oedd yn ysgrifennu y Beibl! I mîn, reit, pwy oedd ar ôl i ysgrifennu hanes Noa os oedd e ar yr arch! *'Cos it wasn't him who wrote it!*

HOLWR Wedyn, dim ond Mr Andrew Jenkins fydd yn cael problem gydag Îfs.

DYMPS Pwy yw e?

HOLWR Pwy?

DYMPS Andrew Jenkins?

HOLWR Dyna enw Andrew Bechadur.

DYMPS *It's not!!*

HOLWR Ie.

DYMPS Wel fi byth yn gwbod hwnna o'r blaen. Rîli?

HOLWR Ie. Doedd neb yn gwbod?

DYMPS Wel pwynt yw, reit, ni'n galw athrawon yn Miss neu Syr, wedyn ni ddim rîli cael y siawns i ffeindio mas beth yw enwau nhw. Wel nhw'n sort of introdiwso eu hunain nhw i ni pan nhw'n cyrraedd ond ni'n creu *nicknames* i nhw a nhw'n stico. Un athro, reit, pan fi ym mlwyddyn saith, hi ddim wedi para mwy na tymor ... Spikey *at his best* cyfnod yna. Hi'n dysgu mathemateg – wel actshiwali, hi ddim yn gallu dysgu mathemateg – a hi'n cael *habit* yma o bigo trwyn hi ar y slei? Wel *that was it*, pythefnos mewn i'r tymor – BOOGEY! Ac o'dd record 'ma o'r enw *Boogey On Down* wedi dod allan. So hi methu dweud dim byd amdano fe achos ni'n dweud y'n bod ni'n siarad am y record. Plant gallu bod yn greulon, ydy fe?

HOLWR Gwir. A phwy byddet ti'n dweud wyt ti agosa ato fe neu hi yn y grŵp?

DYMPS Wel, hwnna'n gwestiwn rîli anodd achos pawb mor agos. Fi'n hoffi Billy achos mae'n *soul mate* fel, Spans achos mae'n e'n egselynt byti, Prîsi achos mae'n gwneud i fi chwerthin, Elins achos fi'n gallu dibynnu arno fe, Rhys achos mae'n gwneud i fi deimlo'n saff, Îfs achos mae'n gwneud i fi deimlo'n hapus i nabod rhywun mor ddewr, Sharon achos mae jyst yn, Raz achos mae'n ypliffto fi, Spikey achos mae'n neud i fi deimlo'n normal achos fe mor *mad*, Llinos achos mae'n dangos fi beth fi'n gallu bod os fi'n trio. Ond fi'n fodlon rhoi *short list* i ti o un deg un!

HOLWR Wyt ti'n ystyried dy hunan yn ffrind da a thriw Dymps?

DYMPS Wel fi'n trio bod. Ond fi'n cael un broblem. Fi'n credu popeth mae pawb yn dweud wrtha i.

HOLWR Sut mae hynny'n broblem?

4. Fi'n 100%!! Clôd Van Dam is ê wimp.

DYMPS Wel reit, wy'n trysto pawb. Er enghraifft, o'dd Prîsi wedi dweud wrtha i unwaith ei fod e wedi colli un o'i gerrig e achos 'i fod e'n styc yn *groin* fe – *and I believed him for two days!* Chi'n gwybod, unrhyw un yn gallu dweud rhywbeth, ac os nhw'n cadw fe lan nhw'n gwybod fi'n mynd i gredu fe. *I got this absence* o *bullshit detectors in brain* fi. *The best one*, reit, dechre blwyddyn un deg dau oedd hyn. Pawb wedi confinso fi bod fi wedi colli cyhoeddiad ar ddechrau'r dydd yn dweud bod hawl gyda ni i wisgo dillad y'n hunain i'r ysgol i godi arian i Blant Mewn Angen. Wel fi'n meddwl bod e'n od achos o'dd Plant Mewn Angen wythnos nesaf. Ond diwrnod nesaf ar y bŷs, pwy oedd wedi tyrno lan mewn *clown's outfit* – fi! Ac wrth gwrs fi ddim wedi dod â dillad cyffredin ag oedd y bois pallu gadael fi off y bŷs – *so there was I* trwy'r dydd yn y gwersi a'r Uned yn edrych fel Coco! A'r peth yw reit, fi'n gwybod nawr, os oedd y bechgyn yn gwneud hwnna eto, *I would fall for it again.*

HOLWR Pam wyt ti'n credu bod hynny'n digwydd?

DYMPS O, byt, fi jyst ddim yn gwybod. Wel fel tad-cu fi wedi dysgu fi, gwell cael *evil* wedi gwneud i ti na bod ti'n gwneud yr *evil*. O'dd Miss Cymraeg cyn Miss Esyllt wedi dysgu pennill i fi. Weito am eiliad nawr. O aye, falle hwn yn rong, ond rhywbeth fel:

> Da am dda sydd dra resymol,
> Drwg am dda sydd yn uffernol
> Da am ddrwg sy'n fendigedig.

Wel dyw hwnna ddim cweit yn iawn ond chi'n cael jist y peth. Chi fod i wneud pethau da yn eich bywyd nid pethau drwg.

HOLWR Byddai rhai yn galw hwnna yn agwedd Gristnogol.

DYMPS Ydy fe? Wel fi ddim yn gwybod am hwnna. Ond mae e beth mae Mam a Dad wedi dysgu fi a Tad-cu

Brawd fi yn y ffydd – fi'n rhoi ffwl rîspect i Billy, ddim wedi colli calon in leiff fel.

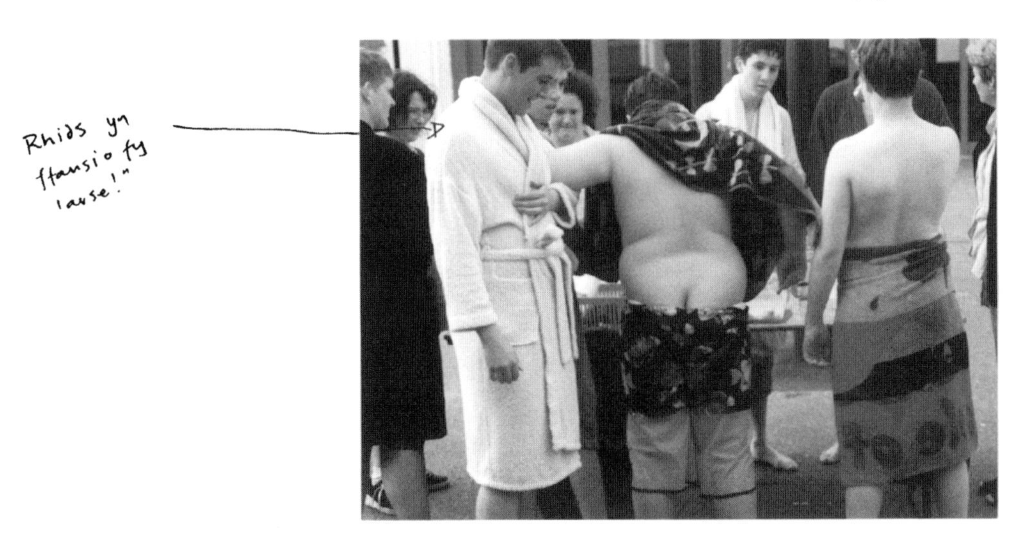

Rhids yn ffansio fy lause!"

RA2 wedi nico bag bwyd fi. Feri worried look fi!

a fi'n credu bod hwnna'n dda. Ac wrth gwrs, mae'r bechgyn a fi yn gallu cael laff oherwydd hwnna.

HOLWR Ble wyt ti'n gweld dy hunan mewn blynyddoedd i ddod, Dymps?

DYMPS Beth ti'n meddwl?

HOLWR Wel, wyt ti wedi ystyried coleg eto a beth ti eisie gwneud gyda dy fywyd?

DYMPS Na. Fi'n hapus ar y funud. Fi ddim eisie meddwl llawer am yfory.

HOLWR Ond bydd pwynt yn dod siŵr o fod lle bydd yn rhaid i hynny ddigwydd?

DYMPS Sbôs. Ond fi ddim yn hoffi pethau i newid. Pwynt yw reit, fi'n hapus fel mae pethau ar hyn o bryd. Fi'n hoffi byw yn y cwm. Wy'n gallu mynd i gael McDonald's yn Llantrisant, gwneud ychydig o actio gyda fy ffrindiau, teimlo'n ddiogel, mynd i gael McDonald's arall ac os wy'n teimlo'n isel, neu rywbeth, mynd i gael McDonald's arall.

HOLWR Ti'n lico McDonald's 'te?

DYMPS Lico! Lico! *That is not the word.* Reit, fi'n gallu enwi i chi prifddinasoedd pob gwlad yn y byd lle mae McDonald's.

HOLWR O reit.

DYMPS Chi wedi cael sioc nawr, nadych chi? Wel, mae hwnna'n wybodaeth alle ddod yn handi rywbryd. Wedi dod yn handi i fi'n barod. Ennill cystadleuaeth gyda fe a chael trip i Disney World Paris am benwythnos gyda fy nheulu.

HOLWR Wel, llongyfarchiadau.

DYMPS Gorfod prynu miliyn McDonald's fel, ond o'dd e werth e.

HOLWR Ife dyna'r teip o fywyd cymdeithasol sydd gyda ti 'te, Dymps? Mynd allan i lefydd bwyta fel yna?

DYMPS Wel fi'n mynd i'r Llwyn lle wy'n byw gydag Elins a Spans nawr ag yn y man. Lico cael peint bach ontife. Ond ar wahân i hynny, na, mae'n eitha tawel.

HOLWR Dyw hwnna ddim yn *boring*?

DYMPS Na.

HOLWR Licet ti ddim mynd i wahanol lefydd i weld pethau?

DYMPS Ble? Fel Caerdydd a phethau?

HOLWR Wel hyd yn oed ymhellach – Llundain, Ewrop.

DYMPS Hoi, byt, hwnna'n hawdd i rywun fel chi dweud – chi'n byw yng Nghaerdydd. Chi'n gorfod bod yn realistig, reit, am y teip o fywyd ni bobl yn byw. Ei mîn, chi'n gwbod dyw e ddim yn mega ecseitin. Dyw e jyst ddim. Ei sbôs dyna sut mae bywyd y rhan fwyaf o bobl yn y byd i gyd oedran ni. Beth ni'n gallu neud amdano fe? Falle bod syniadau yn pen ni, ond does dim arian gyda ni i gyflawni'r syniadau yna. Chi'n gwybod ni gyd yn byw yn gyfoethog yn dychymyg ni.

HOLWR Mae hwnna'n beth doeth iawn i ddweud.

DYMPS *Well it wasn't me said it first then.* Ond mae'n wir, chi'n gwybod. Pan ni fechgyn yn ffantaseiso'n rhywiol – galla i weud y gair 'na o flaen chi?

HOLWR Cei.

DYMPS Ffantaseiso taw ni yw styds mwya'r byd gyda dongs hiwj a phawb yn rhedeg ar ôl ni. Ond *in reality*, ni gyd yn gwybod ni'n mynd i neud y tro â bywyd bach *boring* yn y cwm yma.

HOLWR Does dim rhaid iddo fe fod felly.

DYMPS Ond falle ni eisiau i fe fod, myn. *That's what* fi'n trio dweud. Os ti'n dod o Gaerdydd, falle ti'n credu fe'n bwysig i fyw bywyd gwyllt leic. Ond bywyd gallu bod yn *satisfying* iawn yn y Rhondda.

HOLWR Wyt ti'n fodlon?

DYMPS *Most of the time*, odw. Ti'n gorfod byw rhywle.

HOLWR Wyt ti'n credu dy fod ti'n alluog, Dymps?

DYMPS Na, fi'n cyffredin iawn. Pasio naw TGAU fel, ond dim syniad gyda fi sut.

HOLWR Wyt ti eisiau mynd i'r coleg?

DYMPS Ydw. Fi'n credu. *But I have no doubt* mai dod nôl i fyw i'r Rhondda fi'n mynd i wneud. Mi Fynnwn i Gadw Cwm Rhondda i'r Genedl, nady fe?

HOLWR 'Sŵn y Gwynt sy'n Chwythu.'

DYMPS Kitch! Ie, gweld, ysgol ni'n rhoi gwreiddiau i ni.

HOLWR Ac mae hynny'n bwysig i ti?

DYMPS Absoliwtli.

HOLWR Wyt ti erioed wedi trio cyffuriau, Dymps?

DYMPS Ar wahân i alcohol?

HOLWR Ie.

DYMPS Nagw. *Not in the least bit interested* ynddyn nhw. *Sad man's game* fi'n galw cyffurie.

HOLWR Ti'n nabod pobl sy'n 'u cymryd nhw?

DYMPS Odw. Lôds.

HOLWR Ydyn nhw'n *sad men*?

DYMPS Wel sori i ddweud hyn a bod yn feirniadol ohonyn nhw, ontife, ond ma' nhw. *Sad* iawn.

HOLWR Pam wyt ti mor bendant ynglŷn â hynny?

DYMPS Wel ble mae'n mynd â chi? Dibynnu ar y peth. Rhoi arian yn nwylo rhywun sy'n delio gyda chyffuriau. O leiaf mae'r llywodraeth yn onest ac yn codi trethi ar yfed a phethau a mewn ffordd rowndabowt chi'n gallu helpu'r *National Health Service* neu rywbeth. Ond fi jyst ddim wedi bod â diddordeb erio'd. A bod yn deg a gonest gyda chwi, fi methu dychmygu cael diddordeb. Fi jyst ddim y teip.

← hwn yw fi pan fi'n poeni am seis wêst fi – last term oedd pan oedd y deinyrôrs yn ecstinkt!

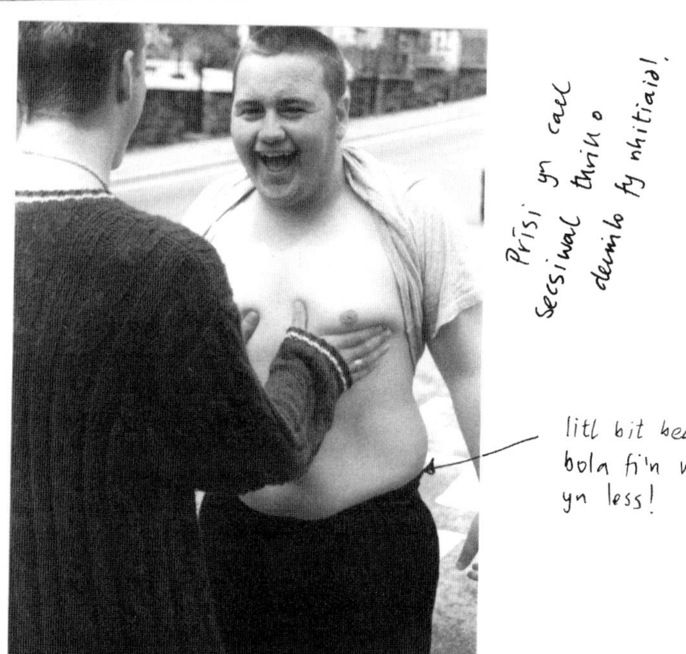

Prîsi yn cael secsiwal thrill o deimlo fy nhitiaid!

litl bit becso bola fi'n mynd yn less!

gwallt Spans mas o gontrol
clust Spans
Fi'n tŵ ifanc by 'eve – fi'n mor ifanc, fi'n edrych yn childish.

cut ddy crap, where's the ffŵd???

Y DYN TAWEL

Fi yn Llundain yn rhoi'r shits lan y Saeson wrth edrych yn hard!

Hwn yn gyfnod mad. I woz runnin'!!!! Byth eto!

HOLWR Oes 'teip'?

DYMPS Wel fi ddim yn gwybod. Ond fi ddim yr un – rhoi e fel yna.

HOLWR Nawr, Dymps, mae'r *Ball* gyda chi mewn ychydig ddyddiau – wyt ti'n edrych ymlaen?

DYMPS Edrych ymlaen? Edrych ymlaen? Fachgen, hwn yw pinacl fy mywyd ysgol. Fi wedi cael siwt i ffito fi. A rhaid i fi ddweud, fi'n edrych yn smart iawn ynddo fe. Fi'n cael thing yma rownd bola fi, *Cumberland Sausage* neu rywbeth nhw'n galw fe – wel 'na beth oedd y bois wedi dweud ag o'n i wedi dweud bod hwnna'n swnio'n stiwpid, meddwl eu bod nhw'n weindo fi lan eto, ond roedd y dyn yn y siop wedi dweud e hefyd wedyn, nhw ddim yn weindo fi lan am *change*. Eniwei, fe'n goch, *and I tell you what*, mae'r bechgyn yn edrych yn blydi ffantastig. Wy'n credu fi'n mynd i pwlo. Wy'n credu Spikey hyd yn oed yn gallu pwlo yn hwn! A Billy, *well I have to say*, fi a fe yn edrych yn hollol stonc.

HOLWR Sut mae'r merched yn edrych?

DYMPS O drwg iawn gyda fi, hwnna'n rhywiaethol dros ben. Mae Llinos yn edrych fel cwmwl o borffor a Sharon yn edrych fel petai hi wedi cael ei harllwys mewn i hosan goch. Blydi hel, o'dd hwnna'n galed i gofio'r cymariaethau yna.

HOLWR Mae Cymraeg da gyda ti, Dymps, os wyt ti'n trio.

DYMPS Wel fi ddim yn siŵr.

HOLWR Ydy fe'n straen?

DYMPS O na, fe ddim yn straen. Ond cofio hyn, Doctor, ni'n gorfod bodoli yn ein grŵp ni. Ni'n gorfod ffito mewn. *There are ways and means*, nady fe?!!!

HOLWR Siŵr o fod. Wel ga i ddiolch yn fawr i ti am dy amser a gobeithio bydd y Ddawns yn llwyddiant ysgubol.

DYMPS Byti, gyda fi yno, *it can only be that*. Hwyl nawr a diolch yn fawr.

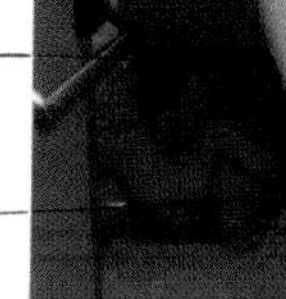

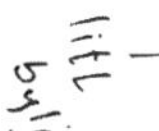

Fy syniad o fod yn y nefoedd – being ffed!

fy harse in ffleit!

don't tytsh wot
you can't afford!

sharon

HOLWR Enw?

SHARON Sha.

HOLWR Enw iawn?

SHARON Sharon Lousie Smith *commonly known as* Sharon Slag, ond 'sneb yn galw fi hwnna i wyneb fi neu fi'n hed byto nhw.

HOLWR Dyddiad geni?

SHARON Mehefin un deg tri.

HOLWR Unig blentyn?

SHARON *As far as I know!* Byt chi byth yn gwbod gyda mam fi.

HOLWR Shwd gest ti'r llysenw Sharon Slag?

SHARON *What's vegetables got to do* with enw fi?

HOLWR Llysenw, nickname!

SHARON O? 'Na beth ydy fe, ife? Reit. O, hwnna'n hawdd i ateb. Fi'n dechre snogo bechgyn yn blwyddyn chwech ysgol gynradd a fi wedi dechrau mislif fi yn ysgol gynradd so bechgyn yn credu bod nhw wedi cusanu fi a dechre fi off yn gynnar ac o ganlyniad y datblygodd yr enw Sharon Slag.

HOLWR Ydy hwnna'n dy boeni di erbyn hyn?

Mî at 4!
Pwy fydd yn meddwl
fi'n tyfu i fod mor
dawel a chŵl a
distaw a shei!
Like 'ell!!

SHARON Nyh.

HOLWR O'dd e'n dy boeni di ar y pryd?

SHARON Geroff. Hoi, pal, pethau lot gwaeth na hwnna yn bywyd fi, *I can tell you that now*. Pan ma' mam chi'n alcoholic a tad chi wedi bygran off pan chi'n wyth, mae *tendency* i bethau *boring* fel yna cael eu styffo *to one side* fel.

HOLWR Wyt ti'n cofio dy dad?

Billy yn mônî iawn jyst achos fi'n nico ei basti! Jyst ar ôl llun yma, there were rîal dagrau!

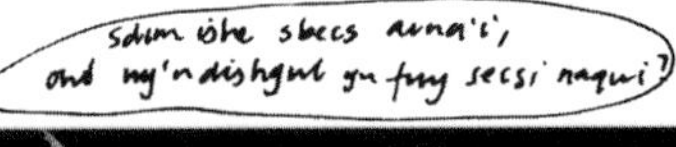

Miss a fi yng Nglanllyn. Fi ddim yn siwr pwy mae wedrwt hi yn – 'cos Jim bigger and firmer!

SHARON Ie. Lysh blôc, beth wy'n gallu cofio. Tal, rîli golygus, bob amser yn gwynto'n neis, *aftershave* neis neu rywbeth. Gallu gweld e nawr yn smwddo dillad fi achos dim gwisg ysgol gyda fi.

HOLWR Wyt ti'n cofio'r briodas yn ddrwg 'te?

SHARON *Was it ever good?* Cofio'r hiwj rows 'ma, yr absoliwtli hiwj rows yma o weiddi a sgrechen a Mam yn twlu plate o gwmpas. Wedyn un diwrnod, ar ôl ddy hiwjest row in ddy histori of rows, o'n i wedi codi, a fe ddim yna a fi byth wedi gweld e tŵ ddis day.

HOLWR Triest ti ffindo mas ble odd e'n byw neu i ble aeth e?

SHARON *What's the point?* Os o'dd e wir yn caru fi bydde fe wedi mynd â fi gyda fe.

HOLWR Ond mi wyt ti'n ffyddlon i dy fam.

SHARON *Did I have an option?* Hi wedi dechre bwrw'r botel yn rîli bad *after that*. *"O Sha, why can' I keep a man?"* Chi'n gwbod, *when you're eight* chi ddim wir yn gwybod am beth mae'n siarad fel.

HOLWR Ges ti fagwreth anodd, Sharon?

SHARON Sbôs. Wel fi ddim yn gwybod *any different* o'n i? Ni'n gorfod symud o'r tŷ i stad tai cyngor. *God, that was the pits* tro cyntaf. Ni wedi symud tyns o weithiau ers hynny. Mam ddim yn gallu talu'r rhent a phethau. *But she always found a way to get a bottle of something*. A fi byth yn gofyn sut *'cos I don't want to know*.

HOLWR Fuodd perthynas hir-dymor arall gyda dy fam roddodd gadernid i ti o gwbwl?

SHARON *How long is* hir-dymor, bach? O'dd rhywun gyda hi am dri mis unwaith, ond dim ond achos o'dd anti i Mam wedi marw a gadael cypl o grand iddi. *God, did we live like queens* am y cyfnod bach yna. Cofio un diwrnod reit, o'dd Mam wedi mynd i Marks and Spencer yn Ponty ar y bŷs, o'n i ym mlwyddyn saith Ysgol Gyfun, ag o'n i wedi dod gartre ac o'dd llian ar y ford, a'r bwyd absoliwtli stoncin yma ar y ford, *meringues* a *sandwiches* a phethau a'r ffrij yn llawn bwyd a orenj jiws iawn gyda bits ynddo fe! *I was so happy*. Am *three days*, like. Fi jyst yn meddwl bod fi yn y nefoedd. *People actually lived* fel hyn, chi'n gwbod, bob dydd? Ond o'dd Mam jyst ffili cadw fe lan. *But there 'war*, fi'n cofio hwnna, nady fi? *Nice little memory* i fi.

HOLWR O'dd Bernard yn bwysig iawn yn dy fywyd di unwaith.

SHARON *That scum bag!* Ffycin hel – ecsgiws my Ffrensh – o'dd y twat 'na wedi rhoi fi yn ysbyty a fi wedi colli'r babi *'cos of him. Mind you,* falle bod hwnna *just as well, 'cos can you imagine me as a mother? Not!!!*

HOLWR Beth o'dd yr atyniad gyda fe, Sha?

SHARON Dic fel donci! Sori, *I just love* dweud pethau amrwd i siocio pobol. O'dd tojer mawr gyda fe *mind*, feri neis. Anffodus fe ddim yn gwbod beth i neud gyda fe. *Could have stirred the tea for all the good it did me sometimes*. Chi'n meindo fi'n siarad yn amrwd?

HOLWR Dim o gwbl. Ife Bernard oedd yr achos i ti drio lladd dy hunan?

SHARON *Don't know.* Rhan ohono fe sbôs.

HOLWR Oes gwahaniaeth gyda ti siarad am y cyfnod yna?

SHARON Na. Wedi bod, nady fe. Ofnadw cyfnod, ddo. Wy'n cofio o'dd Rhys wedi dod i gweld fi y bore o'dd y gang yn mynd i'r gogledd i Steddfod yr Urdd. Fi wedi plano popeth allan yn pen fi.

HOLWR Pam nad est ti i'r Steddfod?

SHARON Stybyrn fi. Gwrthod cymryd rhan, *like. God. I'm a wally* weithiau. O'dd mam fe wedi neud cacennau i fi. Rîli *strange*. Ddim yn credu hi'n hoffi fi. Eniwei, beth o'dd wedi ypseto fi tyns o'dd Rhys wedi rhoi *fiver* i fi a dweud wrtha i i fynd i brynu masgara neu rywbeth. Wy'n cofio cerdded lan y mynydd, lan i Llan tip. Chi wedi gweld Llan tip? *I know it's only a tip,* fel, ond mae'r *view* mor *stunning*. A wy'n cofio eistedd ar ben y *tip* am *ages* yn meddwl ... *don't do it,* Sha ... gwneud e, Sha. A meddwl bod fi mewn breuddwyd. A wedyn o'n i wedi edrych lawr ag o'dd y botel yn wag *and I thought, too late now, baby*. Ag o'n i wedi gorwedd lawr i gael cwsg bach.

HOLWR Beth yw'r peth nesa ti'n cofio?

SHARON Breuddwyd a Rhys yn siarad gyda fi – ond o'dd e 'na yn siarad gyda fi pan o'n i yn y coma *apparently. Nearly thumped Andrew Bechadur 'cos of me!!!* Ha! *Good* ar fe. Wedyn wy'n cofio'r gang i gyd yn dod i gweld fi a cusanu nhw a dweud sori i Llinos *and I was so glad I was still alive. God.* Ofnadw amser.

HOLWR Wyt ti'n caru Rhys?

Spiley yn blwyddyn
10 yn weio 7stôn
– Spiley yn blwyddyn 10
sôrri wot yn weio 6s tôn 12
pownd.
I cweit hoffi bod yn wlyb!.
Secsi dros ben!.

ni jyst wedi cael
drenshin gyda blwyddyn
un deg tri – old tradishyn
yn ysgol ni bod blwyddyn
sy'n gadael yn drensho
blwyddyn 10's! – Spikey ddim
yn gwybod bod pee yn fy
slîf yn dripo ar pen fe
at ddis moment in teim!
Ha!. Mei bêb

'ecstasi'
– tytched mei tonsils!

This bachgen massaged my tonsils!
World record am snog heb anadlu (personol fi)
5munud – 3beiliad!

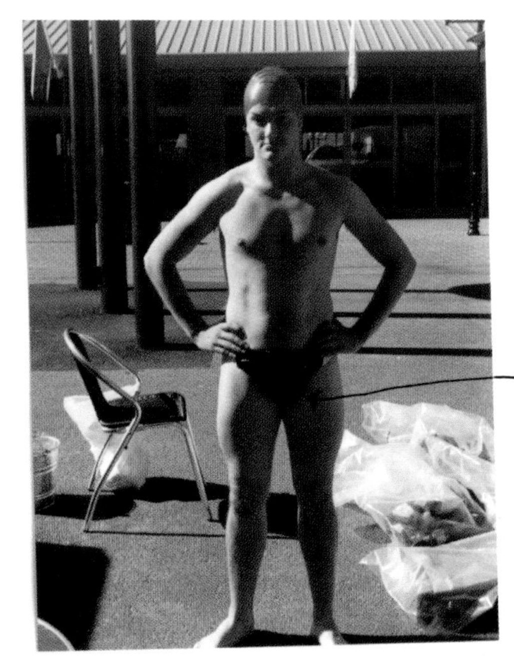

Ha! ha! licl bydj!.

Apart from ddy hat,
Rhys yn cweit ffansiabl
in ddy reit leit!

Hun yw 'siv'.
Ei lyf hum leic
tŵ death!
Tello chi beth, pan fi'n
gadael, eim gonnw snog
him iff it kills mî!

ei wish - - - - "

RHOI UN
I FE

A vhoi un i fe in
a dark alê! Billy'n
edrych yn stonc ar
noson ball mi.

Ŵ is shî? Old
slapper two edrych
fel neis piece of meat!

SHARON Hoi, byti, ddat's a bit bilow ddy belt!

HOLWR Does dim rhaid i ti ateb os nad wyt ti'n dewis.

SHARON O, *I'll* ateb. Wrth gwrs wy'n caru Rhys. Wy'n caru fy ffrindiau i gyd. Fi dweud hyn wrthot ti, byti. Hebddyn nhw *I would not be 'ere today.* Paid gofyn i fi sut mae wedi digwydd, ond mae'r gang 'na wedi dod at ei gilydd fel gliw ers blwyddyn saith a ni jyst yn stico gyda'n gilydd thrw thic and thin a ni gyd yn caru'n gilydd. Cyfeillgarwch. Eisiau fi sillafu fe i chi?

HOLWR Na, mae'n iawn. Ond ydy dy berthynas di â Rhys yn rhywbeth mwy na chyfeillgarwch platonig?

SHARON W! *You perve!* Eisiau gwybod os ni wedi cael secs chi yn, nady fe?

HOLWR Dyw rhyw ddim yn bwysig.

SHARON Wel yr ateb yw nad ydyn. *It would be like sleepin with your brother! Mind you if my brother was Bradd Pitt, tough choice!* Jocin'. Na, fi ddim yn meddwl am Rhys mewn ffordd secsiwal. Ydy, fe yn secsi. Corff neis, *bum's a bit flat like*, ond mae *other regions* e *all there* cred ti fi!!! *And in a funny kind of way*, mae'n *good lookin'* a fi gorfod dweud *if the light's behind him, 'e looks* absoliwtli blydi stoncin, innit! Ond na, fi methu dychmygu cysgu gyda fe, *much as I've tried!*

HOLWR Beth am aelodau arall o'r gang?

SHARON Îfs!

HOLWR Dim amheuaeth?

SHARON *Absoliwtli dim. Brains, body, an arse and a tojer. What more could you want.* 'Sept fe'n hoyw, *like. Slight problem there.* Llinos a fi yn torri ein calonnau *when we found out.* Achos ni'n dwy cael yr hots i Îfs. Hi wedi snogo fe.

HOLWR Os barn gyda ti ynglŷn â hoywder Îfs?

SHARON Barn? Beth ti'n meddwl?

HOLWR Y ffaith 'i fod e'n hoyw.

SHARON *Have I got a* barn *'cos Rhys is* hetrorywiol?

HOLWR Does dim barn gyda ti 'te.

SHARON Nagoes. *He is. Is there a problem?*

HOLWR Nagoes. Ond falle bydde rhai pobl …

SHARON O er mwyn ffwc, *get a life is it?* Îfs yw un o'r bobl ddewraf rwy'n ei adnabod. Fi'n dweud hwn yn posh Cymraeg fi. Rydym ni gyd yn ei barchu a'i garu oherwydd y person ydy ef, nid beth mae'n gwneud gyda ei tojer. Ydy hwnna'n ateb y cwestiwn?

HOLWR Yn berffaith. Symudwn ni mlaen. Pam wyt ti'n credu dy fod ti a Llinos yn gymaint o ffrindiau ag ystyried eich bod chi'n dod o gefndiroedd mor wahanol?

SHARON *What?* Hi'n clyfar a *rich* a fi'n *poor* a *thick*.

HOLWR Nid dyna ddywedais i.

SHARON *But that's what you meant!*

HOLWR Does dim rhaid i ti ateb dim os nad wyt ti'n dewis.

SHARON Hei, bachan, dim eisie cael *mare* nawr, fi ond yn cael laff! Wel, fi ddim yn siŵr. Rhywbeth wedi clico gyda ni. Buaswn i – *I love* the gorberffaith – ife gorberffaith yw hwnna? *Well it's something.* Ond y pwynt yw, reit, mae fel cwlwm rhwng ni.

HOLWR Wyt ti wedi bod i aros yn ei thŷ hi?

SHARON *Strange enough,* bêb, fi heb. Hi wedi gofyn. Jiw, hi wedi gofyn llawer o weithiau, ond fi jyst ddim eisiau gwbod. Rhag ofn bydd hwnna'n sboilo *image* fi o bywyd hi.

HOLWR Dwy' ddim yn deall.

SHARON Wel, reit, ma' Llinos yn cael popeth. Absoliwtli popeth. *She's even gor an 'orse!* Wy'n cofio gofyn i Mam unwaith os fi'n gallu cael ceffyl achos o'dd un yn cerdded trwy'r *estate* lle ni'n byw – wedi rhedeg i ffwrdd o'r ffermwr neu rywbeth a wedodd hi, *"Keep your eye on it, love, 'cos you won't get your arse on it!"* Eniwei, Llinos yn cael ceffyl, *allowance* bob mis, a mam a thad hi yn stoncin – jyst gadel hi byw bywyd hi. Wel, gweld, fi'n gallu neud ffantasis lan amdani hi, nady fi? Gweld ei stafell wely hi, gweld pwy fwyd o Marks and Spencer ma' nhw'n bwyta bob nos. Gweld y morwyns yn gwneud popeth i nhw. Ac os bydd fi mynd yna, falle bydd y realiti yn wahanol.

HOLWR Wyt ti wedi dweud hynny wrth Llinos?

SHARON Na! *Dull question.*

HOLWR Rwyt ti a Spikey yn agos.

SHARON *Is that a question or a statement?*

HOLWR Fel ti'n dewis.

SHARON Wel weithiau dyw e ddim yn ddigon agos.

HOLWR Pryd?

Chi'n gwybod pwy!.

SHARON	Pan fi eisiau rhoi gwd slap rownd y pen iddo fe!
HOLWR	Ydy e'n gwneud i ti golli dy dymer?
SHARON	*Does the Pope fart?* O paid cael fi'n rong, fi'n caru Spikes, reit. Mae e mor ddiniwed weithiau. *'E's tryin so 'ard* i fod yn aeddfed achos mae e r'un oedran â ni, gweld. *I know,* chi byth yn credu hynny. Ond wir, *sometimes 'e is like a ten year old!* Cofia, neb yn dweud gair yn erbyn e neu bydd ni'n slapo nhw. Ond fi'n gwybod beth yw *main problem* Spikes.
HOLWR	Beth?
SHARON	Mae e eisiau secs.
HOLWR	Ydy e wedi dweud hyn wrthot ti?
SHARON	Hoi, bachan, fe wedi dweud hwnna wrth bawb yn y blydi ysgol! Unig person mae heb ddweud wrth yw Andrew Bechadur and *'e's next on the list!*
HOLWR	Pam nad yw e'n cael llwyddiant?

"Tŵ ît or not tŵ ît
ddat is Dymps cwestiwn!"

Cwestiwn yw, ond iw
rhoi un i flatman?
Ateb: only in a complete
argyfwng!.

olreit, give in, mae'n bert (If she tytshus Dom, she's dead!)

SHARON Achos 'sneb yn cymryd e'n seriys! I mîn, sut chi'n gallu cymryd *long thin thing* fel yna'n seriys fel *sex object?*

HOLWR Gest ti sioc pan gest ti dy ethol yn Brif Swyddog?

SHARON *Andrew Bechadur 'ad a bigger one!* Onest tŵ God, o'dd ei wyneb e yn amêzing! *And fair play to Shad,* beth bynnag mae pobl yn dweud am fe, o'dd e wedi rhoi chans i fi. *More than that git Bechadur ever did.* A ie, rhaid i mi gyfaddef, *I 'ad a shock on my arse* pan gefais gymaint o bleidleisiau oddi wrth y Chweched. A rhaid i fi gyfaddef *I was a bit devastated* bod Llinos ddim wedi cael ethol achos fi'n meddwl *we would have been the dream team.* Rhids, wel sori *like*, fi ddim yn deall hwnna o gwbl, *'cos I would have bet my virginity* bod Rhys ac Îfs yn mynd i gael hwnna gyda'i gilydd. *But there we are.* Chi'n gorfod derbyn beth mae bywyd yn taflu atoch chi, *and ger on with it.*

HOLWR Ble wyt ti'n gweld dy hunan mewn deng mlynedd, Sharon?

SHARON Eisiau ffantasi ateb fi neu rîal ateb fi?

HOLWR Fel wyt ti'n dewis.

SHARON Reit, ffantasi ateb fi. Blôc Cymraeg yma, a bardd, plîs, yn hynod o gyfoethog wedi cwympo mewn cariad yn llwyr gyda fi a wedi whisgo fi i ffwrdd i fyw ar lan y môr. Fe'n gyfoethog achos e'n fardd, a fe'n caru fi *so much* fe eisiau protecto fi am byth. Ni'n cael pedwar o blant, *two sets of twins* achos fi ddim yn mynd *pregnant* pedair gwaith for no one – *not even a* bardd! – dau fachgen dwy ferch, a nhw gyd yn siarad Cymraeg fel y bardd, nid fel fi. Mae holl ffrindiau fi yn dod yn *god-parents* – beth yw hwnna yn Gymraeg?

HOLWR Rhieni bedydd.

SHARON *Them,* i'r plant a fy holl ffrindiau yn dod i fyw ar bwys ni. Yncl Rhys, Yncl Îfs, Anti Spikey etc. A ni gyd yn byw gyda'n gilydd a thyfu'n hen gyda'n gilydd a bod yn hollol *outrageous* hyd yn oed pan ni'n hen. Neis breuddwyd, nady fe? O ie, a'r bardd yn ennill cadeiriau *so* ni'n gallu cael *suite* ohonyn nhw rownd y ford.

HOLWR Pam bod bardd yn bwysig i ti, Sharon?

SHARON O fe ddim yn bwysig. Fi jyst wedi cwrdd â'r bardds gorjys yma yn y gogledd. *I'll just say 'is name,* "Myrddin ap Dafydd a Meirion Macintyre Huws". Enwau nhw mor stonc, nadyn nhw? A fi'n hoffi cael licl ffantasi amdanyn nhw – 'na gyd.

HOLWR A'r realiti?

SHARON O wel, *that's easy. On the dole,* staco shilffoedd. Fi a Spikey ar ben hunan ni. Fi'n mynd fel fy Mam – *alcohol queen* ond ddim cweit yn alcoholic, *and I'll probably end up shaggin' Spikey out of desperation* neu *sympathy.*

HOLWR Mae hwnna'n weledigaeth drist iawn o dy ddyfodol.

SHARON Bach, ble wy'n byw a beth wy'n gweld gyda bywyd ffrindiau fi – *it's pretty much close to the mark.*

HOLWR Beth sy'n mynd i ddigwydd i bawb arall o'r grŵp 'te?

SHARON O *I wonder!!* Cael leiff ydy fe! Nhw'n mynd i symud i ffwrdd, nadyn nhw? Symud i goleg a chael cyfle i *get out of this valley* a gwneud rhywbeth gyda'u bywydau nhw.

HOLWR Wyt ti wedi ystyried mynd i'r coleg?

SHARON O, bachgen, *get a life,* ydy fe?!! *This is Sharon you're talkin' to by 'ere!* Fi'n mynd i'r coleg!

HOLWR Ma' digon o allu gyda ti.

SHARON O oes, mae gallu gyda fi. Dydw i ddim yn dwp! Fi'n gwybod beth sydd tu mewn i fy mhen. Beth sydd ddim gyda fi yw arian *and the means to get to* coleg.

HOLWR Mae grantiau ar gael oddi wrth y llywodraeth.

SHARON A *loans* oddi wrth y llywodraeth! Eniwei, bydd fi ddim yn ffito mewn i goleg. Gyd o'r snobs Cymraeg yna o Gaerdydd a llefydd gog. *They'd laugh at* fi achos fy Nghymraeg.

HOLWR Beth wyt ti ofn, Sharon?

SHARON Hoi, byti, fi ddim ofn dim byd, reit. Dim byd!

miss yn cael
'ment' gyda
bardd
Merfyn ddy magishyn!

HOLWR Ar wahân i ti dy hunan.

SHARON Reit, *that's it, I'm off.*

HOLWR Mae'n ddrwg gen i.

SHARON *Who the 'ell do you think you are* yn dweud fi ofn fy hunan?

HOLWR Rwy'n ymddiheuro. Sylw cwbl ddiangen.

SHARON *Aye,* o'dd e yn! Now *cut it out,* neu fi allan trwy'r drws yna – deall?

HOLWR Wrth gwrs.

SHARON *For God's sake,* myn, fi wedi wynebu hunan fi – fi'n gwybod beth fi yn. *How can I be afraid of* hwnna?

HOLWR Nid ofn hwnna o'n i'n awgrymu, ond ofn beth gallet ti fod.

SHARON Ie, fel fy mam.

HOLWR Na, yn hollol i'r gwrthwyneb. Rwy'n credu dy fod ti ofn yr her o newid yn llwyr, o wella dy hunan, o adael y ffordd yma o fyw, o siarad Cymraeg safonol. O beidio â bod yn Sharon.

SHARON *Bollocks. That is a load of bollocks.* Fi jyst ddim yn deall sut mae rhywun mor alluog â ti yn gallu siarad gymaint o *bollocks* llwyr.

HOLWR Dim ond syniad oedd e.

SHARON *Aye, and a bloody dull* syniad *if you ask me.* Fi'n meddwl bod *doctors* fod i ddeall beth sy'n mynd mlaen mewn pennau pobol.

HOLWR Mae'n ddrwg gen i, mae pawb yn gwneud camgymeriadau.

SHARON Fi ddim yn *ashamed* o beth ydw i.

HOLWR Na. Ac nid dyna oeddwn i'n awgrymu. Fe symudwn ni mlaen.

SHARON Aye, a bit blydi *sharpish* hefyd! Fi'n cael pethau i wneud.

HOLWR Wrth nesáu at ddiwedd y flwyddyn, beth wedet ti yw'r uchafbwyntiau?

SHARON Ar wahân i'r *piss ups* a pethau?

HOLWR Ie.

SHARON Wel, gad fi weld ... bod yn Brif Swyddog, ond ti'n gwybod am hwnna. Llundain, 'cos gwrddes i â'r *Irish* blôc yma, *and I am not kiddin' you, 'e touched my bloody tonsils twice!* Gorjys o'dd e yn fel *snogger. Up the Irish I say!* Plîs! Wedyn o'dd Senghennydd. *I loved that play. Honest.* Fi

Comynli nown as Cock!

o'dd yn chwarae rhan y fam o'dd yn colli gŵr hi yn nhanchwa Senghennydd *and I got to cry* a chanu ar y llwyfan. Un gân wy'n mynd i gofio am byth, "Atgof, melys sur yw yr atgof, sydd yn rhithio dy gwmni ar draws cynfas fy nghof!" Nady'r geiriau yna'n stoncin?!!! "Rhithio dy gwmni." *That's my father that is.* Rhith o'r gorffennol. Ie, Senghennydd yn absoliwtli uchafbwynt. O'dd hyd yn oed Mam fi wedi dod i weld e! *That's another* uchafbwynt!! Gogledd Cymru. Fi'n gorfod dweud hyn, *I wouldn't mind bein' a* gog os o'dd fi ddim gorfod siarad fel nhw, achos mae gwlad nhw'n absoliwtli blydi stoncin gwlad! Wyddfa! *Well, I enjoyed the train ride!*

I hate the Urdd. Gwbod, ni ddim wedi cael dim byd trwyddo blwyddyn yma! Nady hwnna'n warthus! *Hate the* Urdd blwyddyn yma. Falle fi lyfo nhw blwyddyn nesaf. A nawr fi'n edrych ymlaen at y *Ball.*

HOLWR At beth yn fwyaf?

SHARON Nico cariad Miss off hi. Chi'n gwybod hi wedi cael lanci cariad o America? *I ask you,* Cymdeithas yr Iaith ffrîc a phopeth a mae'n caru gyda blôc *who can't speak it. Don't make sense to me.* Ond mae'r *Ball* bob amser yn laff a fi gorfod neud araith fel y Prif Swyddog blwyddyn nesaf a mae'r tri arall wedi gofyn i fi a fi wedi ysgrifennu ef allan mewn Cymraeg posh gyda help Îfs a Llinos – *she's a babe* achos hi wedi rhoi arian i fi llogi'r ffrog yma! *You wanna see me in that – I think I could pull Andrew Bechadur even!* Rhagor o gwestiynau?

HOLWR Nagoes. Diolch am dy amser.

SHARON Mae'n o'r gorau, bêb. A diolch i ti am helpu fi feddwl am ddyfodol fi.

HOLWR Do fe?

SHARON O *yes,* bêb – fi ddim mynd i fod ag ofn dim mwy. Ta ra!!

Cidiwincaniaid blwyddyn saith ar ddiwrnod cyntaf nhw yn y gyfun. to thinc, fi arfer bod yn firjin widd all ddôs gobeithion. Sad!

– Cymro i'r carn!
Fi yn y pram – obfiysh!

Fi yn pôso cyn
perfformio drama'r
ysgol 'Senghennydd'.
Emosiynol iawn o brotiad.

rhids

HOLWR Enw?

RHIDS Rhids neu Rhidian Idris Eurog Harris.

HOLWR Oedran?

RHIDS Un deg saith. Un deg wyth mis Hydref nesaf.

HOLWR Dyddiad geni?

RHIDS Hydref 13.

HOLWR Mae enw hir gyda ti, Rhids.

RHIDS Ie fi'n gwybod. Enw brawd mawr fi'n waethach na hwnna hyd yn oed. Glyndwr Evan Royston Henry Harris. Chwaer fi'n mynd yn *ape* os ti'n rhoi enw llawn iddi hi – Louisa Emily Mary Ann Bronwen Harris. *Mad* on'd yw e?

HOLWR Ti yw'r ifanca yn y teulu?

RHIDS Ie. Rhieni fi'n henish, gweld, achos o'n i'n mistêc! Ond fel nhw'n dweud, *they love me anyway*!

HOLWR Oes Cymraeg ar yr aelwyd?

RHIDS Na.

HOLWR Ond mae enwau Cymraeg iawn gyda ti a dy frawd a dy chwaer.

RHIDS Ie! Wel Mam a Dad yn *Welsh* iawn chi'n gwybod. Achos o'dd dad Dad a mam Mam yn dod o'r gogledd. Ag o'dd hen fam-gu a hen dad-cu *according* i Dad methu hyd yn oed siarad Saesneg!

HOLWR Ydy dy fam-gu a dy dad-cu a dy hen fam-gu a dy hen dad-cu yn fyw, Rhids?

RHIDS Mae mam Mam yn fyw, ond pawb arall wedi marw. Fi'n cofio hen dad-cu a mam-gu -ish, ond fi ddim yn cofio tad Mam achos o'dd e wedi marw gyda chanser cyn i fi cael fy ngeni.

HOLWR A beth am ochr dy dad?

RHIDS Ie, mam Dad yn fyw a dad Dad yn fyw, ond nhw'n rîli hen. Ni'n mynd i weld nhw bob wythnos. Nhw'n byw ym Mhontygwaith.

HOLWR Wyt ti'n agos atyn nhw, Rhids?

RHIDS Ie. Wel na, ddim yn siŵr rîli. Hwn yn *sad thing* i ddweud nawr ydy fe, ond mam Dad mor hen hi wedi dechre gwynto *little bit*. Hi methu helpu fe, jyst *old people's smell*, gwybod? A mae ei chof hi wedi dechrau cerdded i ffwrdd oddi wrthi. Wedyn mae hwnna tipyn bach o straen.

HOLWR A pha mor agos wyt ti at dy frawd a dy chwaer?

RHIDS Ddim yn rîli. Brawd fi wedi symud i fyw yn Leicester – o *'ang about*, Caerlŷr! Miss wedi dweud hwnna wrtha i. A chwaer fi yn byw yn Llantrisant. Hi'n byw gyda rhywun ond nhw methu cael plant.

HOLWR Wedyn dwyt ti ddim yn wncwl eto?

RHIDS Na. Ddim yn *likely* i fod gyda chwaer fi chwaith!

HOLWR Pam?

RHIDS Methu siarad amdano fe rîli. Rhieni fi dal yn *bit dazed* gyda fe ers blwyddyn diwethaf.

HOLWR Mae unrhyw beth sy'n cael ei ddweud rhyngom ni yn gwbl gyfrinachol. Ond does dim rhaid i ti ddweud dim.

RHIDS O fi eisiau dweud fel. Wel fi methu dweud dim byd wrth neb arall. Neb yn gwybod o gwbl.

HOLWR Ddim hyd yn oed un aelod o'r gang?

RHIDS Na. Dim ond y teulu sy'n gwybod.

HOLWR Wyt ti'n teimlo bydd e'n help i ti pe baet ti'n dweud, Rhids?

RHIDS Wel dyw e ddim yn broblem i fi, chi'n gwybod. *I simply haven't got a problem* gyda fe. Mam a Dad sy wedi cael y *mare*. Chwaer fi'n *lesbian*.

HOLWR A dyw dy fam a dy dad ddim yn gallu derbyn y peth?

RHIDS Derbyn! Blydi hel, bachan. Nhw wedi mynd yn balistic. Fi methu deall reit, pam bod hi wedi boddran dweud. O'dd hi'n byw i ffwrdd o'r tŷ. Neb yn gwybod reit. Popeth yn hapus. So pam o'dd rhaid iddi ddweud dim byd? Ers hynny, hi ddim yn dod i weld fi. Mam a Dad wedi tynnu ei lluniau hi off y wal. Fi ddim hyd yn oed yn gallu ffono hi o'r tŷ achos ma' nhw'n checo'r ffôn *itemised bills* i weld os fi wedi ffono hi. Ei mîn ma' hwnna jyst i gyd yn cachu sy'n gwneud pen fi mewn. Sori. Fi ddim yn meddwl rhegi.

HOLWR Wyt ti'n agos at dy chwaer, Rhids?

RHIDS O'n i! Wel fi eisiau bod nawr. Ond …

HOLWR Shwd o't ti'n teimlo pan wedodd dy chwaer?

RHIDS Ypset. Ofnus. Prowd bod hi'n ymddiried ynon ni fel teulu. Wedyn dechreuodd y gweiddi. O'dd e mor horibl. Mam yn galw hi'n perfyrt a phethau fi erio'd wedi clywed Mam yn dweud – byth yn ei bywyd hi. Es i lan llofft i grio o'n i mor ypset ag o'dd chwaer fi eisiau dod lan i weld fi ag o'dd Mam a Dad pallu gadael hi! *God*, fi mor sori fi'n dweud hwn i gyd, ond fi wedi methu dweud e wrth neb. 'Sneb yn ysgol yn gwybod dim byd. Fi wedi cadw fe i fy hunan achos fi ddim eisiau i bawb gredu bod Mam a Dad fi'n bobol horibl achos nhw ddim! Nhw rîli ddim, chi'n gwybod. Ma' nhw'n bobol neis iawn, yn garedig iawn. Pan o'n i wedi dod gartref llynedd a dweud iddyn nhw 'mod i wedi ca'l y'n neud yn Brif Swyddog, roedd Dad mor browd. 'Sdim lot o arian gyda ni, reit, ond roiodd e bumpunt i fi. Ag o'n i'n falch wrth gwrs, ond wy' jyst yn cofio beth wedon nhw wrth fy chwaer. A ma' fy mhen jyst yn ffycd. Wy'n sori am regu fel 'na. Fi ddim yn lico neud hwnna o flaen pobol. Ond 'na fel mae'n teimlo weithiau achos popeth sydd wedi digwydd.

HOLWR Wyt ti'n casáu dy fam a dy dad, Rhids?

RHIDS Na! *No way!* Fi'n caru nhw. Fi eisie gwneud nhw'n browd ohona i. Ond fi … O, *I don't know.*

HOLWR O'dd cyfaddefiad Îfs i ti yn broblem?

RHIDS O, *for God's sake*, pam bod pawb yn becso ambythdi Îfs *all of a sudden*? *Big deal!* Mae Îfs yn hoyw. So mae'r byd yn gorfod syrthio lawr ac addoli Îfs. Pam? Oes rhywun yn gallu dweud hwnna i fi. Pam? Beth mae e wedi neud sydd mor sbeshal ar wahân i riwino gobeithion 'i rieni fe?

HOLWR Ydy fe?

RHIDS Os oedd fi'n mynd gartre i ddweud rhywbeth fel 'na i Mam a Dad bydden i wedi torri 'u calonnau.

HOLWR Ond pe baet ti'n hoyw, Rhids, a fydde dewish gyda ti?

RHIDS Bydde! *To shut up* a meddwl am bobl eraill a pheidio ypseto pobl eraill.

HOLWR Ife oherwydd dy chwaer wyt ti'n teimlo fel hyn?

RHIDS Falle.

HOLWR Ond o'dd rhieni Îfs wedi bod yn gefnogol iawn iddo fe.

RHIDS *Aye, well, isn't he the lucky one?!*

HOLWR Dwyt ti ddim yn credu bydde dy rieni di wedi dangos yr un cydymdeimlad?

RHIDS Fi wedi gweud beth ddigwyddodd i fy chwaer. *Do I need to say more?*

HOLWR Beth pe bai rhieni Îfs a dy rieni di yn cwrdd? Ti'n credu bydden nhw'n cwympo mas?

FFRINDIAU DA

Fi'n caru Sha!

↑ Sha yn caru fi!

Fi a Spikey yn blwyddyn deg yn
pishoyn llyn Tryweryn ar y ffordd i
steddfod Urdd Wrecsam – Saeson wedi
nico Tryweryn off ni dywedodd Sir So
ni'n pishoyn y dŵr. HA!!
(Wili fi'n mwy na un Spikey!!)

RHIDS *O aye, very likely* bod doctor posh, cyfoethog mynd i gwrdd â fy rieni i sydd ar *invalidity! Very likely* bydd mam posh Îfs a'u tŷ mawr posh yn rhoi *invite* i tŷ bach teras twt ni! *Get a life*, ydy fe! Ma' rhai pobl yn cael dechrau breintiedig hyd yn oed yn y cwm hwn. Ma' rhai ohonon ni ddim.

HOLWR Ife 'na pam wyt ti'n genfigennus o Îfs?

RHIDS Fi ddim. Pwy sy'n gweud bod fi yn?

HOLWR Mae'n edrych fel pe baet ti.

RHIDS Wel fi ddim! Ie, bydden i wedi lico cael bywyd mor neis â 'na. Ie, bydden i wedi lico cael dillad *designer* yn lle *fakes* o *Ponty market*. Ie bydden i wedi lico mynd ar bob trip ysgol *going* heb fecso o ble o'dd yr arian yn dod. Ond fi ddim yn *bitter and twisted* achos fi ddim wedi gallu neud hwnna.

HOLWR Na. Wel fe symudwn ni mlaen.

RHIDS Pwy sy'n dweud bod fi yn?

HOLWR Neb.

RHIDS Wel ma' rhywun arall ddim yn lico Îfs.

HOLWR Mae'n ddrwg 'da fi?

RHIDS Pawb yn gwybod. Pan o'dd e wedi dweud wrth mam a dad fe, daeth e i'r ysgol bore nesa ag o'dd rhywun wedi rhoi graffiti ar y wal a galw fe'n *poof*.

HOLWR Wyt ti'n credu bod hwnna'n drist, Rhids? Does dim rhaid ti ateb… Wyt ti eisiau cael toriad. Ma' rhywbeth wedi dy ypseto di.

RHIDS Dwy' ddim yn siŵr os wy'n gallu siarad dim rhagor.

HOLWR Gallwn ni ohirio os wyt ti'n dewis.

RHIDS Dwy' ddim wedi dweud hyn wrth neb arall yn y byd i gyd. A dwy' ddim yn siŵr pam wy'n dweud e nawr. Ond wy'n gwbod wy'n mynd i. Fi oedd e. Fi oedd wedi neud y pethau yna i Îfs. Plîs, paid dweud wrth neb.

HOLWR Wir, mae popeth sydd yn cael ei ddweud rhyngom ni yn gyfrinachol.

RHIDS O'dd e'n gymaint o sioc ei fod e wedi dweud wrthon ni yn y parc jyst ar ôl iddo fe ddod nôl o Iwerddon. Jyst sioc *total*, chi'n gwybod. Ag o'n i wedi mynd gartre ag o'dd pawb jyst wedi mynd gartre ag o'dd pen fi'n chargo a rêso, fi ddim yn cofio lot o'r nos. Ond y bore wedyn o'n i wedi mynd mewn i'r ysgol yn gynnar. Dal y bws cyhoeddus yn lle bws yr ysgol. A nico pen bingo Dad a Mam. Pen trwchus i marco'r *bingo cards* off. Ac ysgrifennu ar y wal. A danfon y cachu ci yn y post. Fi oedd wedi neud hwnna. Ag o'dd Îfs wedi syso fi mas yn y ganolfan chwaraeon. O'dd e'n gwybod taw fi o'dd e. Wy'n gallu cofio stopo nawr ar dop y mynydd ar bwys cofgolofn y Forwyn Fair yn Penrhys. Ag o'dd Îfs wedi edrych arna i. Jyst edrych. Ddim wedi gweiddi. "Sneb yn parchu dim, Rhids, ddim hyd yn oed cyfeillgarwch." Dyna beth oedd e wedi dweud. "Sneb yn parchu dim, Rhids, ddim hyd yn oed cyfeillgarwch. 'Sdim byd i fod ofan." O'n i eisiau marw. Fi methu deall pam dyw e ddim wedi dweud wrth neb. 'Sneb yn yr ysgol yn gwybod taw fi oedd wedi neud hwnna. A'r nos 'na, o'n i eisiau marw. Fel o'dd Sharon wedi eisie marw. Pam? Pam o'n i'n teimlo fel yna? Ac yn yr ysgol mewn cwpwl o wythnose, o'dd e a fi yn styc yn yr ystafell Gymraeg gyda'n gilydd ag oedd e wedi estyn llaw e allan a shiglo llaw fi a maddau i fi. Ag o'n i wedi rhoi cwtsh iddo fe a chusanu fe. Fi'n *mixed up*.

HOLWR Wyt ti ofn pobl hoyw, Rhids?

RHIDS Hwnna'n stiwpid cwestiwn. Sut fi gallu bod ofn fy chwaer, *for God's sake*?

HOLWR Wyt ti ofn dy hunan?

RHIDS Ydw, achos fi ddim yn deall beth sy'n digwydd yn fy mhen!

HOLWR Oes cariad gyda ti, Rhids?

RHIDS Nagoes.

HOLWR Pam?

RHIDS *I don't know.* 'Sneb yn ffansïo fi.

HOLWR Ond ti'n fachgen golygus.

RHIDS Not golygus enyff obfisyli.

HOLWR Ddim mor olygus ag Îfs, ti'n meddwl?

RHIDS Mae hwnna'n *totally unfair*. Fi ddim yn cymharu'n hunan gyda fe. Fi'n gallu sefyll ar y'n nhraed 'n hunan. Fi wedi cael cariad. *If you can call* tri mis yn gariad. Ond fi fel rhan fwyaf o fechgyn fy oedran i. *Take it or leave it.* Dyw e ddim yn ofnadw o bwysig.

HOLWR Ar ôl gadael yr ysgol, beth wyt ti'n bwriadu gwneud?

RHIDS Trio mynd i'r coleg yng Nghaerfyrddin.

HOLWR Pam?

RHIDS I gael brêc o'r cwm. Wy' jyst yn teimlo mae'n rhaid i fi adael y lle 'ma. Mae e'n clawstroffobic, chi'n gwybod. Dwo *head* fi mewn lot o'r amser. Fi'n gorfod cael amser i anadlu.

HOLWR Mae rhai o dy gyfoedion yn dweud bod y cwm yn gwneud iddyn nhw deimlo'n ddiogel, yn gyfforddus.

RHIDS Ie. Olreit. *That* hefyd. Ond ti ddim yn gwbod beth mae fel i fod yn styc yma. Olreit i bobl fel chi bopo lan o Gaerdydd *from the big smoke* a dweud hylô wrth *the sad little natives now and again* a wedyn mynd nôl lawr i Gaerdydd i fyw bywyd rhydd a neud beth chi eisie achos neb yn nabod chi a neb yn cêro na hido beth chi'n neud.

HOLWR Pam wyt ti'n teimlo'r pwysau yma mor ofnadwy, Rhids?

RHIDS Ddim eisie ateb hwnna.

HOLWR Digon teg. Pwy yw dy ffrind gore yn y grŵp?

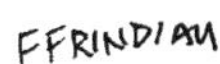

RHIDS Does dim un gore gyda fi yn y grŵp. Wy'n teimlo'n agos atyn nhw gyd. Ond wy' methu dweud gyda fy llaw ar fy nghalon fy mod i'n agos at un yn arbennig. Wy'n *loner*. Tipyn bach o *loner*.

HOLWR Mae hwnna'n rhywbeth mawr i'w gyfadde.

RHIDS Gorfod wynebu'r gwir am y'n hunen, nagyn ni? Fi ddim yn cael problem gyda hwnna.

HOLWR Pam wyt ti'n *loner*?

RHIDS *Easiest question* yn y byd i ateb. Fi ddim yn trysto neb.

HOLWR Neb?

RHIDS Absoliwtli neb o gwbwl cant y cant achos bydd rhywun wastod yn gadael chi lawr. Fi wedi dysgu hwnna yn fy mywyd bach byr i.

HOLWR Pwy sydd wedi dy adel di lawr, Rhids?

RHIDS Hwnna ddim rîli yn bwysig. Beth sydd yn bwysig yw fy mod i wedi dysgu fy ngwers yn gynnar iawn yn y bywyd hwn *and I am not makin' the same mistake* ddwywaith. Yr unig berson chi'n gallu dibynnu arno fe gant y cant yw chi eich hunan.

HOLWR Bydde rhai pobl yn dweud bod hwnna yn agwedd negyddol iawn i'w gymryd am fywyd.

RHIDS Bydden nhw?

HOLWR Bydden.

FI YN TRIO HELPU BILLY

RHIDS *Well they are wrong.* A fi'n iawn.

HOLWR Wyt ti wedi trio cyffuriau erioed, Rhids?

RHIDS *Get lost! No way!* Dim diddordeb gyda fi mewn pethau fel yna. Fi eisie bod *in control* o fy mywyd.

HOLWR Ond ti'n nabod rhai sydd yn eu cymryd?

RHIDS Wrth gwrs. Pawb yn nabod pawb. Wy' wedi cael cynnig. Fi ddim yn hollol *do gooder*, ti'n gwybod. Ond dim diolch. Fi ddim yn gero off ar bethau fel yna.

HOLWR Beth sy'n rhoi'r wefr yn dy fywyd di 'te, Rhids?

RHIDS Ddim yn deall.

HOLWR Ar beth ti'n 'geto off'?

RHIDS Dim byd rîli. Jyst yn sad little *loner*.

HOLWR Dwy' ddim yn credu bod hynny'n wir.

RHIDS Chi'n siarad am bethau rhywiol nawr, nagych chi?

HOLWR Nagw. Mae pethau pwysicach na rhyw i roi gwefr yn dy fywyd – i rai dringo mynyddoedd, eraill actio, eraill sglefrfyrddio. Ond bod yn rhaid i bawb ffeindio'r peth yna sy'n rhoi blas ar fyw.

RHIDS Fi wir ddim yn gwbod. Hwnna'n *sad* on'd yw e?

HOLWR Na. Dwyt ti jyst ddim wedi ffeindio'r peth ar y pwynt yma yn dy fywyd. 'Na gyd mae hwnna'n golygu.

RHIDS Fi yn gwneud pethe rhywiol. Fi ddim yn wiyrd.

HOLWR Dyw peidio â'u gwneud nhw ddim yn wiyrd, Rhids.

RHIDS Na, fi'n gwybod. Ond fi r'un peth â phawb arall, chi'n gwybod.

HOLWR Mae hwnna'n rhywbeth sy'n codi dro ar ôl tro gyda ti, Rhids, y busnes yma o fod yr un peth â phawb arall.

RHIDS Ydy e?

HOLWR Ydy. Ti wedi'i bwysleisio fe sawl gwaith yn ystod y sgwrs.

RHIDS Sori.

HOLWR Dim o gwbwl.

RHIDS Beth mae hwnna'n dangos am fi?

HOLWR Dy fod ti'n debyg iawn i'r rhan fwyaf o'r boblogaeth yn hynny o beth.

RHIDS Licen i fod yn wahanol ond mae hwnna'n cymryd gyts nagyw e. Gyts fel oedd gydag Îfs.

HOLWR Oes, mae angen dewrder i fod yn wahanol, i ddweud wrth y byd dy fod ti'n wahanol. Ond dim ond ti sy'n gallu penderfynu pryd neu hyd yn oed os bydd hynny byth yn iawn i ti.

RHIDS Ie.

HOLWR A phan yw dylanwad rhieni yn cael ei ystyried, mae hyd yn oed yn anos gwneud penderfyniadau fel yna.

RHIDS Wy'n parchu fy rieni.

HOLWR Ydy eu dylanwad nhw'n drwm iawn arnat ti, Rhids?

RHIDS Sbôs. Beth yw trwm, ddo?

HOLWR Wel, wyt ti'n gwrando ar bob dim maen nhw'n dweud wrthot ti i wneud?

RHIDS Ydw. Sbôs. Ti'n gorfod, nagyt ti? Pan ti'n byw gartref. Ti'n gorfod gwrando neu ti'n cael y *chuck out* a dim unman i fyw.

HOLWR Ife parch neu ofn yw hwnna, Rhids?

RHIDS Y ddau r'un peth, nagyn nhw?

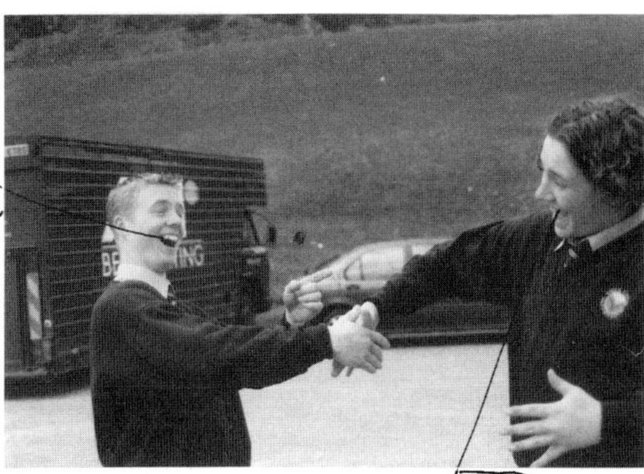

HOLWR Nagyn. Mae gwahaniaeth.

RHIDS Byth wedi meddwl am hwnna. Fi'n *mixed up* eto.

HOLWR Mae'n rhywbeth fydd yn dod yn gliriach fel ti'n tyfu.

RHIDS Pan wy' yn y coleg, falle bydd pethau'n wahanol.

HOLWR A beth am y dyfodol hir-dymor? Wyt ti'n gweld dy hunan yn magu teulu rywbryd?

RHIDS Na.

HOLWR Roedd hwnna yn ateb pendant.

RHIDS Os wy'n gwbod un peth wy'n gwbod hwnna. Dim plant. Dim *commitments* i fi o gwbl. Fi wedi gweld beth mae cael plant wedi gwneud i fy rieni i os yw'r plant 'na'n siomi chi fel mae chwaer fi wedi neud a fi ddim eisie cael y teimlade yna oddi wrth unrhyw un wy' wedi cael.

HOLWR Beth am briodi 'te? Wyt ti'n gallu gweld dy hunan yn gwneud ymrwymiad i rywun?

RHIDS Na. Deffinitli not.

HOLWR Pam?

RHIDS Fel fi wedi dweud yn barod – un person chi'n gallu dibynnu arno fe yn eich bywyd chi, a chi'ch hunan yw hwnna. Fi methu priodi fy hunan *so what's the point*?

HOLWR Wyt ti ofn menywod, Rhids?

RHIDS Ddim yn deall y cwestiwn.

HOLWR Wyt ti ofn gwneud ymrwymiadau o unrhyw fath. Ydy hynny'n deillio o'r parch sydd gyda ti tuag at dy fam a'r siom wyt ti'n teimlo oherwydd hoywder dy chwaer?

RHIDS Fi ddim yn teimlo'n siomedig yn fy chwaer. Wy'n caru fy chwaer. Ddim eisiau siarad am hwn dim rhagor.

HOLWR Iawn. Dim ond un cwestiwn sy'n weddill. Wyt ti'n edrych ymlaen at Ddawns y Chweched wythnos nesaf?

RHIDS Ydw. Bois i gyd wedi mynd i brynu, na, heiro siwts lawr yng Nghaerdydd … gwbod – y lle 'na lle chi'n byw … a ni gyd yn edrych yn ffynci ynddyn nhw, a'r merched hefyd fel.

HOLWR Ydy'r prifathro'n dod?

RHIDS Gobeithio. Fe yw arweinydd yr ysgol a fi wedi trio fy ngorau eleni i fod yn Brif Swyddog da i blesio fe. Ddim i grafu pen-ôl na dim byd fel yna, jyst i fod yn dda yn fy ngwaith a bydden i'n hoffi prynu côc iddo fe. Dyw e ddim yn yfed, gweld. Ond os bydd fi'n neud hwnna bydd pawb yn credu bod fi'n crafu pen-ôl fe.

HOLWR Cyfle i fod yn wahanol efallai?

RHIDS Wel ie, ond chi'n gorfod bod yn ofalus, nadych chi?

HOLWR Diolch am siarad gyda fi, Rhidian.

← Billy yn edrych yn sirius

← Llinos yn shout bym rilî.

Fi ac Ifs. Why dw i ei lwc kica mad shîp! Mor embarasd nawr am y perm ôn i wedi cael. Sad. Mor SAD!

Y dyn tawel ond ffyddlon dros ben!

Rhys jyst yn dod nôl o'r cae gwaelod ar ôl cael cach!

Na fi ddim wedi pisho fy hunan! Blwyddyn un deg tri yn cael 'mare' a soco ni. LAFF!

TRI GŴR DOETH HEB Y CAMELOD NA'R SEREN!

FY CHWAER STEP FI, ÊLIAS CHWAER RHYS

eiliadau o berthyn
a bod yn hapus – wisho
pethau gallu aros fel yna
am byth yn lle newid

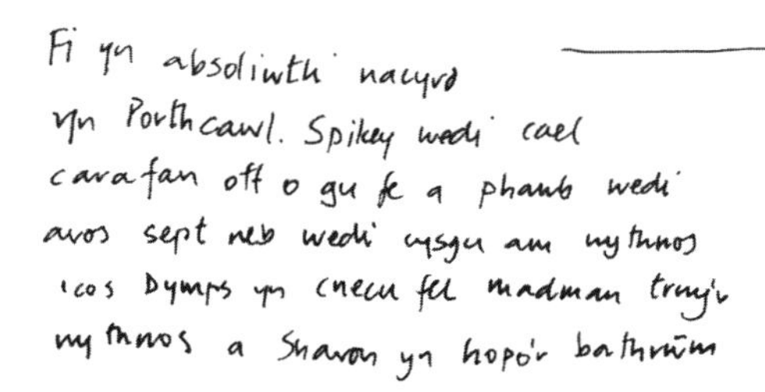

Fi yn absoliwth nacyrd
yn Porthcawl. Spikey wedi cael
carafan off o gu fe a phawb wedi
aros sept neb wedi cysgu am wythnos
'cos Dymps yn cnecu fel madman trwy'r
wythnos a Sharon yn hopo'r bathrŵm

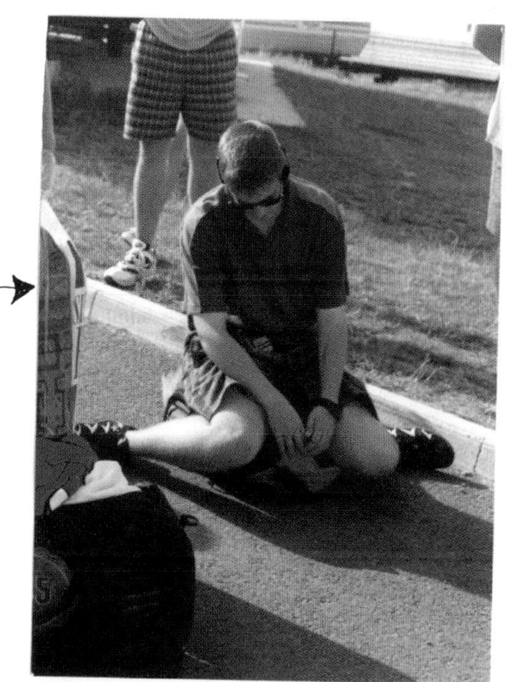

Pôsl.

llinos

HOLWR Enw?

LLINOS Llinos Angharad Dafydd.

HOLWR Oedran?

LLINOS Dwy ar bymtheg.

HOLWR Dyddiad geni?

LLINOS Mehefin yr unfed ar bymtheg.

HOLWR Ar ôl pwy mae'r 'Dafydd', Llinos?

LLINOS 'Y nhad.

HOLWR Dilyn yr arfer Cymreig 'te.

LLINOS Ie.

HOLWR Mae bron yn ddiwedd blwyddyn ysgol Llinos, gallet ti roi mewn geiriau sut flwyddyn fuodd hi?

LLINOS Cymysg – iawn.

HOLWR Pam yn gwmws?

LLINOS Yr holl bethau sydd wedi digwydd i fi, i ni gyd. Mae'n rhyfedd, o'dd dechre'r flwyddyn ar ôl TGAU, y Cwrs Haf, dwi erioed wedi teimlo'r fath angerdd o gariad a pherthyn tuag at y'n ffrindiau i. Nage Rhys yn unig, achos wy'n credu mai dyna pryd o'dd y'n perthynas ni ar ei gore – ond tuag at bawb. O'dd cael y canlyniadau TGAU yna yn ffrwydriad o emosiwn ac fe aethon ni mewn i'r Cwrs Haf ar ryw fath o *high* wy'n credu. Ond ro'dd hi'n amlwg na alle neb fyw ar y lefel yna. A rhywffordd neu'i gilydd, dirywio ma' pethe wedi gwneud ers hynny.

HOLWR Fe ddywedaist ti man 'na mai yn y Cwrs Haf oeddet ti'n credu o'dd dy berthynas di a Rhys ar ei gore.

LLINOS Yn bendant. Ro'n i yn 'i garu fe. Beth bynnag ma' Rhys yn credu nawr achos 'mod i wedi mynd mas 'da Gavin, o'n i yn ei garu fe yn llwyr. O'ch chi'n gwbod taw Rhys o'dd y person cyntaf gares i gyda fe?

HOLWR Oeddwn.

LLINOS O'dd e mor ofnus ar y dechre. Fi o'dd yn arwain. Ma' pobl yn credu 'mod i'n berson tawel a shei. Rhywbeth i neud â'r ffaith 'mod i'n alluog yw hwnna. Ond tu mewn man 'yn, wy'n teimlo'r crochan 'ma o angerdd. Ar y Cwrs Haf, buon ni'n ddigon cyfrwys i ffindo lle yn yr ystafell Gymraeg – do'dd neb yn aros man 'na – i gysgu gyda'n gilydd. O'dd e mor beryglus, chi'n gwbod. Ond roedd cymaint o flas ar y caru. O'n i jyst yn dwlu ar ei gorff e, a'i deimlo fe'n agos ata i. Ma' croen

Un o eiliadau hapusaf ein bywydau.
Chwerthin a chrio. Pe bai....

Spikey'n neis i fi. neis

Sad gwallt blwyddyn 10!
Och!. Gwae! Shwd ath Rhys
mas 'da fi, a 'ngwallt fel hyn?!.

Annwyl
Annwyl
Spikey

esmwyth fel sidan gyda fe. A phan fydde fe'n cyffwrdd yndda i a 'ngharu i – wel! Sori. Ddylen i ddim siarad mor amrwd falle. Ond ma' Ann Griffiths yr emynyddes yn sôn am 'fynd i arall fyd'! Snap! O'dd e'n wych.

HOLWR Pam aeth pethe mor chwerw rhyngtoch chi?

LLINOS Aethon nhw'n chwerw?

HOLWR 'Na'r argraff wy'n ei chael.

LLINOS Falle'ch bod chi'n iawn. Fi o'dd ar fai. A wy'n gwbod pam nawr. Es i'n *bored*. Wy'n gwbod bod hwnna'n beth ofnadwy i weud. Ond o'dd Rhys rhy berffeth. O'dd e'n gwneud popeth yn iawn. Do'dd jyst dim perygl ynddo fe. Ag ôn i'n bitsh iddo fe. Wy'n gallu gweld hynny nawr. A wy'n difaru.

HOLWR Wyt ti wedi dweud hynny wrtho fe?

LLINOS Nagw.

HOLWR Allet ti?

LLINOS Se'n i'n feddw dwll.

HOLWR Pam?

LLINOS Achos wy ffili edrych yn 'i lyged e. Wy'n gwbod 'i fod e'n gweld Gavin a fi gyda'n gilydd a mae e'n meddwl am bopeth nethon ni a'r genfigen mae e siŵr o fod yn teimlo o wybod bod Gavin a fi siŵr o fod yn gwneud yr un peth nawr.

HOLWR Chi'n teimlo'ch bod chi wedi newid perthynas pobl o fewn y grŵp â'i gilydd?

LLINOS Ma' hwnna'n gwestiwn anodd. Chi'n gwbod, er gwaetha'r ffaith mai dyma'r grŵp o bobl bwysica yn 'y mywyd i erioed, dwy' ddim yn teimlo'n gyfforddus withe gyda nhw. Fel tasen nhw'n 'y ngodde i.

HOLWR Pam?

LLINOS 'Y nghefndir, 'y ngallu. Galla i ddweud yn gwbwl onest, o'n i'n teimlo'n fwy cyfforddus gyda Sharon nag o'n i gyda neb arall.

HOLWR Achos do'dd hi ddim yn fygythiad?

LLINOS Na. Nid hynny. Oherwydd ei bod hi'n 'y nerbyn i fel person, am y person o'n i. O'dd hi'n gallu gweld heibio'r deuddeg A serennog uffernol yna, a'r arian a'r fantais o'n i wedi cael yn y'n fagwreth i.

HOLWR Mae'n swnio i fi mai rhywbeth fel 'na byddai Sharon yn dweud amdanat ti.

LLINOS Wel 'na'r peth. Bydde pob hawl gyda 'i i feddwl hynny, ond do'dd hi byth. Fi o'dd yr un oedd wastad ar y tu fas, fel petai. Chi'n gwbod, gofynnes i iddi ddod i aros gyda fi sawl gwaith ond gwrthod wnaeth hi bob tro a wy'n deall pam. Byddai wedi gorfod gweld shwd o'n ni'n byw fel teulu a bydde hwnna wedi gwneud iddi hi deimlo'n fach.

HOLWR Wedodd Sharon 'na erioed?

LLINOS Naddo. Ond es i i aros gyda hi sawl gwaith ag o'n i'n deall. O'n i mor genfigennus ohoni.

HOLWR Allet ti ymhelaethu ar hwnna?

LLINOS Wel, wy'n gwbod ei fod e'n gwbl wyrdroëdig ohona i – ma'n rhieni i'n fendigedig o ryddfrydig, cefnogol, ma' tŷ bendigedig gyda ni, wy'n ca'l lwfans misol hael iawn am y'n oedran, annibyniaeth – alle bywyd ddim a bod yn well. Sdim byd gyda Sharon. Dim byd. Mae 'i mam hi'n alcoholic, ma' nhw'n byw ar fudd-daliadau, ma'r tŷ ar stad cyngor ddyle gael ei ddymchwel ac eto ma' llonyddwch gyda 'i. 'Sneb yn disgwyl dim oddi wrthi, ma' pawb yn ei hedmygu ddi a ma' gyts gyda 'i.

HOLWR A dwyt ti ddim yn credu bod unrhyw un o'r rhinweddau yna gyda ti?

LLINOS Os ŷn nhw, wedi dod i'n rhan i yn gwbl ddamweiniol ma' nhw. Dwi ddim wedi gorfod brwydro i'w hennill nhw.

HOLWR Ond nage tynged yw'r gair am hynny, neu ragluniaeth?

LLINOS 'Ffŵl tynghedfan wyf.' Geiriau Romeo wrth ffoi i Mantua.

HOLWR A dyna fel wyt ti'n gweld dy hunan?

LLINOS Pam oedd rhaid i fi ddyfynnu llinell o Shakespeare yn Gymraeg i chi nawr? Nagyw hwnna'n dangos mai jyst showan off ydw i?

HOLWR Mae'n dangos dy fod di'n ddiwylliedig a dy fod di'n darllen yn eang. Pam wyt ti'n teimlo'n euog oherwydd bod gallu gyda ti?

LLINOS Ydw i?

HOLWR Fel yna byddai rhai pobl yn dadansoddi'r peth.

LLINOS Falle'ch bod chi'n iawn. Dwi ddim yn gwbod beth sy'n bod arna i. Yr anniddigrwydd ofnadwy yma. Chi'n gwbod es i draw i dŷ Îfs gyda'r bwriad o gael rhyw gyda fe.

HOLWR Pryd?

LLINOS Cyn y steddfod sir a jyst cyn iddo fe ddod mas i ni. Wy' ffili credu wnes i hynny o edrych nôl. Wy'n cofio 'i weld e wedi bod yn ofnadw o dyner gyda rhyw blentyn o'dd mewn trafferth yn yr ysgol a thrwy'r dydd yna o'n i'n meddwl amdano fe. A gyda'r nos, es i draw i'w weld e a chael croeso wrth gwrs – mae 'i dad e a 'nhad i yn yr un practis – a phan ethon ni i'w stafell wely fe, gwnes i lynj amdano fe a'i snogo fe. **Fe** stopodd fi. Wy'n deall pam nawr wrth gwrs. Ond achos o'n i eisiau, o'dd yn rhaid i fi gael. Pathetig on'd yw e.

HOLWR Mae Ifan yn dod o'r un dobsarth cymdeithasol a chefndir gallu â ti.

LLINOS Ydy. Wy' wedi meddwl am hwnna hefyd. Ma' Gavin yn damed o ryff, ac mae e hefyd. Ond mae Îfs mor dyner, mor addfwyn ac rŷn ni'n debyg. Ond alla i ddim â gweud celwydd, o'n i jyst ishe shag. O'n i ishe teimlo'i gorff e. Ches i ddim wrth gwrs.

HOLWR Beth ddigwyddodd wedyn?

LLINOS Es i i ffonio Gavin ac ethon ni mas i garu ar y mynydd. Pathetig on'd yw e? *Body service* er mwyn lliniaru'r euogrwydd eto.

HOLWR Wyt ti'n berson anhapus Llinos?

LLINOS Nagw. Ddim yn y bôn. Wy'n anfodlon. Yn bendant yn anfodlon. Wastod ishe pethe sydd ddim yna – mae'n ddrwg gen i, nad ydynt yno – nagyn nhw yno. Wy'n casáu siarad yn anghywir.

HOLWR Wyt ti'n ymhyfrydu yn dy allu ieithyddol?

LLINOS Wy'n caru'n iaith.

HOLWR Fe weithredest ti dros Gymdeithas yr Iaith y llynedd.

LLINOS Do. Ac yn browd 'y mod i wedi gwneud hynny gyda ffrindiau oedd yn credu r'un peth â fi.

HOLWR Pam nethoch chi hynny'n gwmws?

LLINOS Mae'n ateb simplistig o hawdd. Os nad yw'r Gymraeg gwerth ei pharchu yn y fro lle chi'n byw, does dim pwynt ei hachub a'i harddel hi'n genedlaethol. Doedd y siop yna lle roedd Rhys yn gweithio ddim yn parchu'r Gymraeg. Roedd y rheolwr wedi anwybyddu sawl llythyr, roedd rhaid gweithredu. Ma' arwyddion dwyieithog yna nawr.

HOLWR Ydy gweithredu'n boliticaidd fel yna yn bwysig i ti?

CONDOM YN AFON TAFWYS

Y GWYDDEL MWYN!! – A THAFOD MWYNACH

LLUNDAIN.

LLINOS Mae gwleidyddiaeth yn 'y niddori i'n ofnadwy. Wy'n difaru weithiau na chymres i fe fel pwnc atodol lefel A. Chi'n gweld, ym Mhrydain, mae awenau grym i gyd wedi bod yn San Steffan. Gyda dyfodiad y Cynulliad yng Nghymru a'r Senedd yn yr Alban, am y tro cyntaf ers y deddfau uno amrywiol, mae cyfle gyda'r cenhedloedd hynny i roi mynegiant i fath newydd o wleidyddiaeth.

HOLWR Wyt ti'n gweld dy hunan yn rhan o'r broses wleidyddol newydd yma yn y dyfodol?

LLINOS Wy' wedi meddwl am hynny. Wy'n bwriadu gwneud doethuriaeth gynta, yn Gymraeg siŵr o fod, wedyn bydda i tua chwech ar hugain yn gorffen hwnna. Licen i witho am gyfnod wedyn ar y cyfandir, wy'n gallu siarad Ffrangeg yn weddol, ond wy' ishe meistroli Sbaeneg ac Eidaleg. Ar ôl hynny, licen i drio cyrraedd y Cynulliad fel aelod erbyn tua 2010. Bydda i'n tynnu at y deg ar hugain a wy' eisiau chwarae rhan yn nyfodol gwleidyddol Cymru.

HOLWR Ac mae'r Gymraeg yn rhan o'r dyfodol hwnnw.

LLINOS Heb y Gymraeg, fydd y Gymru wy'n nabod ddim yn bod.

HOLWR Rwyt ti fel taset ti wedi llunio dy fywyd.

LLINOS O wy'n gwbod bod hwnna'n beth hurt. Breuddwydion gwrach falle. Gallen i farw fory nesa mae'n siŵr a chwmpo dan fws. Ond mae e'n neis breuddwydio.

HOLWR Dwyt ti ddim wedi crybwyll perthynas neu briodi neu blant.

LLINOS Bydden i'n dweud bod hynny'n syrthio mewn i fagl rhywiaethol.

HOLWR Efallai. Ac i ba brifysgol ei di?

" Ie Rhys, 'ma'n gwmws beth wy'n meddwl ohonot ti! "

Y FATH GOLLED I FENYWOD

LLINOS Aberystwyth.

HOLWR Yr un un â Rhys.

LLINOS Siŵr o fod. Ond dyw e ddim yn broblem. Ma' Rhys bownd o wneud Astudiaethau Ffilm a Theledu neu Drama o ryw fath. Cymraeg sengl bydda i ishe gwneud.

HOLWR Ti'n difaru pido ystyried meddygaeth fel gyrfa?

LLINOS Dim o gwbwl! Ma' ca'l dou ddoctor yn y teulu yn hen ddigon. Na, trafodes i'r peth gyda Mam a Dad a ma' nhw'n deall yn iawn. Geiriau sy'n rhoi'r wefr i fi, a chyrff twym! Ges i tam bach o drafferth gyda'r ysgol serch 'ny.

HOLWR Ym mha ystyr?

LLINOS Ma'n Pennaeth Chweched ni, Mr Andrew Jenkins …

HOLWR Mr Andrew Bechadur.

LLINOS *The very same!* Wel o'dd e'n daer arna i y dylen i ac Îfs … wedodd e ddim? … y dylen ni drio ysgoloriaethau Rhydychen a Chaergrawnt! "Chi bownd o ennill un yr un." O'dd e jyst ffili deall pam o'n i ac Îfs wedi gwrthod.

HOLWR Pam wnest ti wrthod?

LLINOS I ba brifysgol buoch chi?

HOLWR Abertawe. Ond ches i mo'r cyfle i fynd i Rydychen neu Gaergrawnt.

LLINOS Sy'n dangos hyd a lled eich ymlyniad chi i'ch gwlad a'ch iaith.

HOLWR Rwy'n anghytuno. Dyw mynd allan o Gymru ddim yn droi cefn arni.

LLINOS Rwy'n anghytuno. Cymru yn gyntaf – y byd wedyn. Anhygoel! Yr union yr un agwedd â Bechadur. Wedes i wrtho fe, "Do'dd Prifysgol Cymru ddim yn ddigon da i chi, Syr?"

HOLWR A'i ateb?

LLINOS Do'dd dim un 'da fe o'dd e. Cofiwch, tase Spikey neu Rhids wedi siarad gydag e fel 'na, bydden nhw wedi cael bolacin. Ond oherwydd 'y mod i neu Îfs wedi neud, o'dd honno'n ddadl! Prat.

HOLWR Os gawn ni symud ymlaen neu nôl. Taset ti wedi bod yn feichiog 'te yn ystod dy berthynas di â Rhys, byddet ti wedi cael erthyliad?

LLINOS Ma' hwnna'n gwestiwn slei yng nghanol cwestiynau am y dyfodol!

HOLWR Does dim rhaid i ti ateb os nad wyt ti'n dewis.

MR A MRS PERFFAITH – AM NOSON!

LLINOS Wel alla i ddim â dweud celwydd. Bydden. Bydden i wedi cael erthyliad. Nawr mae'n rhaid i fi gyfiawnhau hynny trwy ddweud mai 'nhwptra i achosodd yr argyfwng y ddwywaith o'n i'n hwyr yn dod mlaen. Yn sicr, do'dd dim bwriad gyda fi i fod yn fam ifanc, ond dwy' ddim o blaid yn gyffredinol – y peth call yw cymryd gofal o'r atal cenhedlu, a dyn a ŵyr ma' digon o ffyrdd gwahanol i sicrhau nad ŷch chi'n beichiogi. Ond os yw damwain yn digwydd, y condom yn torri, y bilsen yn ddiffygiol neu beth bynnag, mewn argyfwng fel yna bydden i'n rhoi'r hawl yn llwyr yn nwylo'r ferch neu'r fenyw. Y fenyw sydd â'r hawl ar ei chorff. Nid cymdeithas, nid rhagfarnau crefyddol, nid moesoldeb sect neu lwyth – y fenyw a dim ond y fenyw.

HOLWR Dwyt ti ddim wedi mynegi barn am hoywder Îfs.

LLINOS Ydy'r teip yna o gwestiwn yn berthnasol rhagor?

HOLWR Mae'n ddrwg gen i?

LLINOS Dwy' ddim wedi mynegi barn ar hetrorywioldeb Gavin neu Sharon, neu floneg Billy, neu anwyldeb Spikey.

HOLWR Rwy'n derbyn dy gerydd.

LLINOS Do'dd e ddim yn gerydd. Ond wir, wy' wedi blino shwd gymaint ar agweddau fel yna. Agweddau busneslyd Cymru fach gul, *boring*, sy'n becso beth mae pobl yn gwneud yn y gwely gyda'i gilydd. Os wy'n ddiochgar i'n fam a'n nhad am rywbeth, wy'n ddiolchgar iddyn nhw am 'y nghodi i'n gwbl ddiragfarn. Mae ffrindiau hoyw gyda'n rhieni o'r ddau ryw a ches i'n fagu gyda nhw.

HOLWR Ac wyt ti'n ystyried Ifan yn ffrind gore i ti?

LLINOS Cwestiwn anodd. Yn ymenyddol, wy'n lico dadle gydag e. Fel arfer, ni'n gyfartal. A wy' yn 'i lico fe'n enbyd fel person. Mae'i anwyldeb e'n fendigedig. Ond ma' rhywbeth ar goll. Wy' ishe perygl drwy'r amser.

HOLWR Ym mha ystyr?

LLINOS Dwy' ddim yn fodlon ar ddim os nad oes elfen o berygl. Reit, pan ysgrifenna i draethawd i unrhyw athro – wy' wastod yn ffindo rhywbeth llamsachus i'w ddweud.

HOLWR Llamsachus ym mha ystyr?

Trio'r dillad mlân rhyw bythefnos cyn ball y chweched. Aeth Billy nôl i gael un mwy o seis – tridiau cyn y noson!

LLINOS O chi'n gwbod, – o'dd Saunders Lewis yn Genedlaetholwr Seisnig mewn gwisg Gymreig teip o beth. Jyst i herio chi'n gwbod. A wedyn fe dreulia i bump tudalen yn cyfiawnhau'r gosodiad. Ac fe gaf i'r sylw bach cryptig ar y gwaelod, 'Y cwestiwn oedd perthynas Siwan a Llywelyn yn Act 3!' Wedyn wy'n rhoi'r traethawd go iawn mewn! A wy' fel 'na mewn bywyd. Ma' ngheffyl i – pŵar dab, ambell i ddydd Sadwrn, mae e'n cael mynd 'da fi. A wy'n gwbod nawr, unwaith basa i 'mhrawf gyrru, wy'n mynd i gael pwyntiau ar 'y nhrwydded – wy jyst yn dwlu ar gyflymder.

HOLWR Ydy hwnna i gyd yn gall?

LLINOS Nagyw. Ond dwy' ddim yn siŵr os wy' eisiau bod yn gall – wy' eisiau byw!

HOLWR Oes unrhyw fath o ffydd gyda ti Llinos?

LLINOS *As in* crefydd?

HOLWR Ie.

LLINOS Nago's.

HOLWR Ma' hwnna'n ateb pendant.

LLINOS Achos wy'n sicr.

HOLWR Pam?

LLINOS Pam ddim?

HOLWR Elli di ddim â gwadu nad yw crefydd wedi ffurfio'r Gymru wyt ti'n ei choleddu a'i charu.

LLINOS Na allaf, mae hynny'n gwbl wir. Ond wy' hefyd yn gwbod na alla i ymlynu at ofergoeliaeth.

HOLWR A dyna yw Cristnogaeth?

LLINOS Dwy' ddim ishe enwi un grefydd – i fi mae'r cyfan yn yr un cawdel. Y llwythi cyntefig, y brodorion americanaidd, y person dynodd y llun yn Ogof Pafiland Penrhyn Gŵyr. Beth mae Waldo Williams yn dweud yn 'Cofio','y duwiau na ŵyr neb amdanynt nawr.' Dyna grefydd i fi. Rwy'n cydnabod bod 'na rym y tu hwnt i fi. Dyw'n nychymyg i ddim yn ddigon mawr i fedru esbonio esblygiad, y byd, y planedau sydd y tu hwnt i'n galaethau ni. Ond does dim rhaid i fi gategareiddio'r grym honno neu hwnnw yn nhermau crefydd ddaearol a symbolau.

HOLWR Er gwaetha'r ffaith fod Pantycelyn a'r Diwygiad Methodistaidd a'r Esgob William Morgan wedi achub y Gymraeg oherwydd eu ffydd ddiysgog nhw.

LLINOS Does dim dadle yn erbyn y ffeithiau 'na. Ond dŷch chi ddim yn glynu wrth draddodiad oherwydd ei fod e'n draddodiad. Dylai'r traddodiad hwnnw barhau i ddatblygu yn organig a pheidio â chael ei ddal mewn rhyw rigol sy'n dyheu am yr oes a fu drwy'r amser.

HOLWR Llinos, mae wedi bod yn fraint siarad gyda ti. Fel dosbarth rŷch chi ar drothwy mynd i'r Ddawns Flynyddol.

LLINOS A wy'n edrych ymlaen.

HOLWR Pam?

LLINOS Ma' Sharon a fi wedi llogi'r ddwy ffrog yma sy'n mynd i dynnu sylw aton ni – am wahanol resymau. Ma' Sha yn benderfynol o snogo Dom, a phwy all ei beio hi. A wy' wedi penderfynu cael o leia dwsin o ddawnsus gyda Rhys.

HOLWR Gobeithio y gwnei di fwynhau dy hunan.

LLINOS O fe wna i!

A transvestite o'r enw Billy

Fi yn ddwy flwydd. Wedi heiro car i ddreifo round y ffair i whilo am gandi fflos!!

billy

HOLWR Enw?

BILLY Billy.

HOLWR Enw iawn.

BILLY William.

HOLWR Enw llawn.

BILLY Beth? Ma'n rhaid fi weud y cwbwl wrthoch chi?

HOLWR Os gweli di'n dda.

BILLY Wel smo fi'n neud hyn fel arfedd, wy'n gweud 'tho chi nawr. Ma' enw stiwpid 'da fi.

HOLWR Enw llawn?

BILLY O diawl erio'd. William Williams Pantycelyn Evans.

HOLWR Fel yr emynydd?

BILLY Oreit! Wy'n gwpod! Ma'n fam yn Pantycelyn ffrîc. Nace 'mai i yw hwnna. 'Na pam ma' pawb wedi galw Billy arna'i erio'd a smo fi'n iwso'n enw canol i – byth!

HOLWR Oes cywilydd gyda ti ohono fe?

BILLY *Good God,* sgiwswch fi bach, o's rhywun sha thre yn y pen 'na heddi? Sgwrth wy' ddim yn lico'r dam enw – sori Pantycelyn ife, byt *I can't be doin'* gyda *baggage* fel 'na! Chi'n gwpod pwy o'dd e, otych chi?

HOLWR Odw.

BILLY Wel yn gwmws. Pêr Ganiedydd o yffarn. Wy'n gweud 'tho chi, dyw e ddim wedi neud y'n fywyd i'n bêr iawn a 'na'r ffact i chi.

HOLWR Dyddiad geni?

BILLY Medi'r 10fed.

HOLWR O's brodyr neu whiorydd 'da ti?

BILLY Nagos – yn lwcus iddyn nhw. Ond chi'n gwpod beth o'dd Mam yn mynd i alw merch 'se 'i wedi ca'l croten? *Got it in one* – Ann Griffiths Evans. O's rhyfedd bod y'n tylwth ni gyd yn bennu lan mewn *mental 'ospitals.* Shgwlwch 'ma, hoff brogram y'n fam i? *Dechre Canu, Dechre Canmol* – ma'n tapo fe, w! Ma' pob un gyda 'i ers i S4C ddechre! Wy' 'di ca'l *deprived childhood,* chwel. O'n i'n gorfod mynd i'r capel bob dydd Sul pan o'dd pawb arall mas yn whare. Rong, chwel. Ddim yn ffêr, oty fe?

HOLWR Ond dy fod ti wedi dysgu lot o'r Beibl ar gof siŵr o fod?

YN Y CACHU AR Y FFERM YN WRECSAM

BILLY A ma' hwnna i fod yn plys, oty fe?

HOLWR Bydde rhai yn honni hynny.

BILLY Wel bydde rhai off 'u penne. Shgwlwch 'ma, 'na gyd o'n i'n ga'l ar ddydd Sul pan o'n i'n fach. "Dere weud dy atnod". Chi'n gwpod beth, pan o'n i'n clywed y frawddeg 'na acha nos Satwrn o'dd y'n galon i'n shinco'n gynt nag *éclair* lawr y'n *chops* i. A chwel, o'n i'n gatel e sbo'r funud ddiwetha wastod i ddysgu. A dim tamed o iws dysgu atnod fer, chwel, o'r Beibl newydd. *Good Heavens,* ddim *at all.* Beibl William Morgan, ac os nago'dd wyth 'gwybuasoch' ac ucen 'oddieithr' ynddi, do'dd hi ddim yn atnod! Wy'n gweud 'tho chi, *mental cruelty.*

HOLWR Ti'n casáu dy fam o achos 'ny?

BILLY Pitwch wilia mor blydi sofft, ddyn! Nagw i. Wy'n dwlu ar Mam.

HOLWR Ond pam yr holl gwyno 'te?

BILLY O wy' lico conan. Rhwpath i wilia ambythdi, negyw a?

HOLWR Reit. William …

BILLY Billy, plîs!!

HOLWR Billy, ti'n fachgen mawr.

BILLY Sylwgar iawn ohonot ti, whare teg. Otw. Necst cwestiyn!

HOLWR Shwd ma' hwnna wedi effeithio arnot ti?

BILLY Necst cwestiyn!

HOLWR Hwnna oedd e.

BILLY O jiawl erio'd – 'co ni off. Wy'n dew. Billy Ffat ma' dinon wedi 'ngalw i ers yr ysgol fach. Beth yw'r broblem?

HOLWR Dibynnu os wyt ti'n barod i gydnabod bod problem.

BILLY Shwd gweta i. Oty, ma' fe wedi 'ffecto arno i – gwmws fel ma' bod yn llingeryn tene yn 'ffecto ar Spikey, ontife. Ond mewn ffordd gwanieth. Walle 'i fod e rhywbeth i neud â bod yn eithafol – sa i'n siŵr, ond ma' dinon yn wherthin ar ben Spikey a ma' nhw'n wherthin ar 'y mhen i achos ma' nhw'n gweud 'y mod i'n ddoniol. A wy' lico 'na. Wy' lico neud i bobl wherthin.

HOLWR Ar draul dy hunan?

BILLY Beth ti'n feddwl?

HOLWR Wyt ti'n dueddol o ddibrisio dy hunan er mwyn gwneud i bobl chwerthin.

BILLY Ddim 'mod i'n gwpod. Wy' ffili help bod yn ffynni, otw i? Y ffordd wy'n siarad.

HOLWR Ife 'na'r unig ffordd ma' bod yn dew wedi effeithio arnot ti?

BILLY Wel nage. Ma' fe wedi 'ffecto'n *sex life* i.

HOLWR Ym mha ffordd?

BILLY 'Sneb yn mynd i weld hwn nawr o's e, beth wy'n gweud 'tho chi, achos ma'r mashîn bach 'na sy 'da chi man'na yn recordo'r cwbwl yn hala shildre arno i. Mae e fel ca'l big brydder yn ishte 'ma 'da chi.

HOLWR Ma' popeth sy'n cael ei ddweud yn gyfrinachol.

BILLY Cweit. 'Na gyd bydde Mam ishe bydde gweld beth gwetas i am y Pêr Ganiedydd – bydde fe'n ddicon iddi hala ddi'n Catholic!

HOLWR Wedyn shwd ma' bod yn dew wedi effeitho ar dy fywyd rhywiol?

BILLY Achos sdim lot ohono fe.

HOLWR A ma' hwnna'n broblem?

BILLY Wel nagyw. Wel ody. Wel ffwc, sa i'n siŵr. Rheces i nawr. Sylwoch chi?

HOLWR Do.

BILLY Rheces i ar blant bach Cymru yn y Cwrs Haf. Shimpil, ife. Wy'n rhecu pan wy'n *stressed*.

HOLWR A ti'n *stressed* nawr?

BILLY Wel 'sneb yn lico wilia am 'i hunen, o's e?

HOLWR Sdim rhaid i ti.

BILLY Wel, reit, shgwlwch. Ma'n grŵp ni, y'n gang ni os chi'n dewish, ni mor acos ma fe'n *beyond*. Lle bynnag ma' dau neu dri ynghyd yw e 'da ni, ontife. A ma' Rhys wedi bod yn *forward* erio'd ach wetyn'ny dechruws e garu 'da Llinos a gwplon nhw ag o'dd Prîsi a ma' Sharon! Wel chi'n gwpod ma' Sharon wedi arwain y ffordd i'r *Sex Education Council* erio'd. Wetyn'ny, ceso i'n ffling 'da Kylie y llynedd.

HOLWR A?

BILLY Wel diawl erio'd ddyn, iwswch y'ch sens. Os otych chi wedi bod i gopa'r mynydd fel Moses chi moyn mynd drosto, nagych chi?

HOLWR Wyt ti dal yn wyryf, Billy?

FY FFRIND – smo fe lico lot o fwyd!

FI WEDI ATGYFODI AR YR WYDDFA!
(Geso'i choclate mini-rôl! Orgasmig)

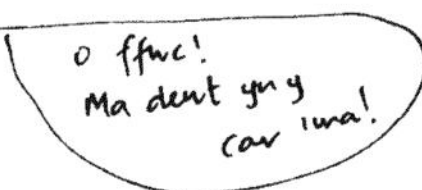

BILLY Wel 'na beth brwnt i weud wrth rywun. Otw.

HOLWR A ma' hwnna'n broblem?

BILLY Wel nagyw. Wel oty. Wel ffwc. Wy'n *stressed* 'to.

HOLWR Ac rwyt ti'n credu mai'r ffaith dy fod ti'n dew sy'n cyfri am 'ny?

BILLY Otw. Wel ma' fe'n rheysmol, nagyw e? Wy'n gwpod simo fi'n secsi na dim byd ffel 'na. Ma' dinon yn lico fi, ife, ma' pawb ishe bod yn ffrinds 'da fi, ond 'sdim lot ishe mynd mas 'da fi.

HOLWR A ma' hwnna'n broblem?

BILLY O'dd e'n fwy o broblem pan o'n i ym mlwyddyn deg – wetwn ni fel 'na.

HOLWR A mae'n llai o broblem ym mlwyddyn deuddeg?

BILLY Nagyw. Ond chi'n llunio ffyrdd i gôpo 'da fe. *It's called eating!*

HOLWR Wyt ti wedi ystyried colli pwyse?

BILLY O, y cythrel yffarn shwd ag ŷt ti, yn rheci fel 'na yng ngŵydd dyn Cristnocol! Nagw!

HOLWR Pam?

BILLY Wel diawl erio'd, sda fi ddim lot o gysur nawr. 'Na gyd sy ishe arno i yw pido cal ffîd deche. Man a man 'sech chi'n stopid 'y ngwynt i.

HOLWR Ond fel arfer, Billy, ma' pobl dew yn llithro mewn i gylch o fwyta a pheidio ymarfer a ma' hwnna yn ei dro yn creu rhyw deimlad o wrthuni ynddyn nhw, a'r ffordd ma' nhw'n cysuro 'u hunen yw trwy fyta, sy'n dechre'r cylch eto.

BILLY Jiw 'na beth mawr yw addysg. Rhy ddwfwn i fi. Wy'n enjoio gwd ffîd. *It is not a problem.*

HOLWR Wel nagyw, os nad wyt ti'n dewis cydnabod ei fod e'n broblem.

BILLY Necst cwestiyn. Hwn yn *boring*.

HOLWR Pwy o'r grŵp byddet ti'n ystyried fel dy ffrind?

BILLY Pawb.

HOLWR Yn ddiwahân?

BILLY Gwmws.

HOLWR Ond at bwy byddet ti'n troi mewn argyfwng?

BILLY Mam.

HOLWR O blith y grŵp.

BILLY Pawb.

HOLWR Neb yn fwy na'i gilydd?

BILLY Gwetwch wrtha i, oty byddardod yn broblem yn y'ch tylwth chi? Wy' wedi gweud. Gallen i droi at unrhyw un!

HOLWR Hyd yn o'd Spikey?

BILLY Ddim os o'n i'n whilo am ateb call – na. Chi'n gwpod, ma' treni 'da fi dros Spikey. 'Sneb yn 'i gymryd e o ddifri ynglŷn â dim a ma' fe'n fachan hyfryd i nabod yn y bôn, chi'n gweld.

HOLWR Ody Sharon yn agos atat ti?

BILLY At bawb bach. Calon fel bwced gyda 'i. Hanner ei thrafferth hi. Mae'n gwishgo 'i chalon ar ei llewysh – tw nic ê ffrês 'wrth y Sîson.

HOLWR O's unrhyw syniad gyda ti beth licet ti wneud yn y coleg?

BILLY Pwy gwetws 'mod i'n mynd i'r coleg?

HOLWR Ond ti'n trio tair lefel A.

BILLY Walla ishtedda i yn tŷ yn ysgrifennu emyne. Bydde Mam yn hapus 'sen i'n neud 'na.

HOLWR Ti byth yn siarad am dy dad.

BILLY Wel ma fe 'na.

HOLWR Beth yw 'i waith e?

BILLY Gwitho yn y cyngor yn dishwgl ar ôl *grant applications* ne rhwpath.

HOLWR Ydy e'n siarad Cymraeg?

BILLY Oty.

HOLWR Ac ydy e'n rhannu'r diddordeb yma yn y Pêr Ganiedydd?

BILLY Oty – acha nos Satwrn ar ôl wyth peint.

HOLWR Dyw e ddim yn ddyn capel 'te?

BILLY Nagyw. Ma' Mam wedi trio, chwel, ond *'e can't do it,* ife. Joio bywyd gormodd.

HOLWR Ydy hwnna'n creu tensiwn yn y tŷ?

BILLY Nagyw. Pam ddyle fe?

HOLWR Cwrw a chrefydd ddim yn cymysgu yn ôl rhai.

BILLY Wel ma' fe'n cymysgu'n gwd yn tŷ ni.

HOLWR Beth yw dy farn di am beth sydd wedi digwydd i Îfs?

BILLY Pam? Beth sy wedi dicwydd iddo fe?

HOLWR Y ffaith 'i fod e wedi dod mas.

BILLY *Good God, give us news not history.* Hwnna'n hen hanes nawr, bachan.

HOLWR O'dd hi'n sioc ar y pryd?

BILLY Wy' erio'd wedi meddwl amdano fe fel 'na. Wel o'dd, sbôs. Achos 'sneb yn paradan eu rhywioldeb abythdi'r lle, o's e? Pawb yn 'i gymryd e'n ganiataol bod pawb r'un peth. Peth twp uffernol i neud hefyd achos ni gyd yn wanieth seisus a siape.

HOLWR Wedyn do's dim gwahaniaeth gyda ti ynglŷn ag Îfs.

BILLY Ma gwanieth 'da chi, mae'n amlwg! Shgwlwch 'ma, Îfs yw un o'r bois ffeina gwrddech chi â fe byth. 'Sdim clem 'da fe abythdi arian ond 'na fe, 'na beth sy'n dod o ga'l y'ch geni i deulu sy â dicon, sbo. Ond fel bachan, jiawl, ma' rhywun mynd i ga'l patner grêt rhyw bryd.

HOLWR Wyt ti'n mynd i'r capel o hyd, Billy?

BILLY Otw. Catw Mam yn hapus, chwel.

HOLWR Ond dwyt ti ddim yn credu.

BILLY Yn beth?

HOLWR Duw.

BILLY Otw.

HOLWR Ma' hwnna'n eithriadol i rywun yn dy oedran di.

BILLY Oty fe?

HOLWR Oes rhywun arall yn y grŵp?

BILLY Ishe chi ofyn iddyn nhw.

HOLWR Pam wyt ti'n credu yn Nuw?

BILLY Pam, nagych chi?

HOLWR Nid fi sy'n bwysig yn y cwestiwn ac ateb yma.

BILLY Ma' fe'n hawdd credu.

HOLWR Yn ddigwestiwn.

BILLY Gwd ateb hwnna. Wy'n cytuno 'da chi.

HOLWR Wyt ti'n ame withe?

BILLY Beth yw'r pwynt? Chi naill yn ne dŷch chi ddim. Wy' yn. *End of story,* nace fe. Sdim ishe neud *song and dance* abythdi'r peth.

HOLWR Ond ti ddim yn credu fel eich Pennaeth Ysgol, Mr Andrew Jenkins?

BILLY Wy'n blydi gobitho wy' ddim. Chi'n gwpod, ma'r dyn 'na'n rhoi enw drwg i Gristnoceth. Alla i ddim â godde'r diawl hunangyfiawn. Cretu 'i fod e'n gwpod yn well na phawb, a'r wên smyg 'na sy ar ei *chops* e. Ych a fi. Chi'n gwpod, rhoien i rwpath i rywun, ond se'r diawl 'na'n tacu i farwoleth ishe dropyn o ddŵr wy' ddim yn cretu bishen i yn 'i geg e hyd yn o'd.

HOLWR Dyw hwnna ddim yn Gristnogol iawn.

BILLY Pwy gwetws 'mod i moyn bod yn Gristnogol 'da mwlsyn fel 'na?

HOLWR Wedyn dwyt ti ddim yn dilyn holl reolau rhywun sy'n mynd i'r capel?

BILLY Wy'n *selective*, gwetwn i fel 'na.

HOLWR Bydd rhai yn dweud bod hynny'n anghristnogol.

BILLY Wel gall rhai ddweud beth ma' nhw'n dewish, allan nhw? Hei shgwlwch, o's gwanieth 'da chi os fyta i'r cwpwl o sangwiches 'ma – wy jyst â starfo. Allwch chi ga'l un os chi'n dewish.

HOLWR Na, dim diolch, ond os yw e'n iawn i fwrw mlaen 'da'r cyfweliad ...

BILLY Ie, ie, bwrwch chi mlân 'da beth chi'n dewish, bach. Wy'n joio nawr. Gwd chat a gwd ffîd. *Couldn't be better,* ife!

HOLWR Shwd wyt ti'n gweld dy ddyfodol, Billy?

BILLY Fel ŷch chi'n meddwl nawr, bach?

HOLWR Wel, beth licet ti neud gyda dy fywyd, ble fyddi di mewn ugain mlynedd, gwedwn ni.

BILLY Thenciw am atel y cwestiwne hawdd sbo'r diwedd. Jiawl, smo fi'n gwpod. Dewch weld nawr, wy'n gobitho bydd rhywun ddicon twp i mhrioti i, chwel. Wel wy'n cretu 'na beth wy' moyn. Licsen i ga'l jobyn bach gatwe ford dda o fwyd i'r teulu. Dim byd sbeshal, jyst beth ma' pawb arall ishe, ife?

HOLWR Dwyt ti ddim yn dyheu am wneud rhywbeth hollol anghonfensiynol a gwahanol?

BILLY Fi?

HOLWR Ie.

BILLY Beth chi'n meddwl yw'n enw i, gwboi – Sharon? Nagw i'r teip 'na, otw i?

HOLWR Pwy sy'n dweud? Ni ein hunen sy'n rhoi llyffethair ar ein posibiliadau ni.

BILLY Jiw, 'na beth mowr i weud. Dod i feddwl am y peth, ŷn ni gyd wedi gweud pethe twp yn ystod y Chweched ambythdi trafaelu'r byd gyda'n gilydd a cha'l ticet i fynd rownd Ewrop a phethe fel 'na. Ond siarad ŷn ni. Smo ni mynd i neud dim otyn ni.

HOLWR Pam wyt ti'n meddwl bod hynny'n wir?

y'n ffés adolesynt
i - barodd e bump
wythnos, golles i stôn,
cadw'n virginitî,
ecser seisôn dafod a'r
fraich dde - ond ma'
popeth nôl i normal
nawr! Diolch i Dduw
(o ie, kylie odd
'i henw hi)

Slwt a kylie!.

SLWT KYLIE SLWT.

Fi yn marw ar yr Wyddfa!
Dymps, you've got problems? Ma' dolur rhydd arna'i - a dim toilets ar y ffordd lan!!
Bois, is that e train?
Billy, fi ddim yn impresd o gwbl. I don't do mountains!!

BILLY O wy'n gwpod pam, reit i wala. Syndrom y cwm, nace fe? *Born in this valley, going to die in this valley and been nowhere in between.* Nawr pidwch â 'nghamddeall i nawr. Wy'n dwlu ar y blydi lle. Wy'n twmlo'n saff 'ma. Wy'n dwlu ar fyw 'ma. Ond ŷn ni gallu bod yn blwyfol, nagyn ni? Enjoio gormodd yn lle dishgwl mas a gweld ymhellach. Bachan, ma' trip i Gardydd yn *major effort* i Mam! A chymrwch chi nawr, os otych chi wedi'ch geni ochr draw i Lunden yn agos at Ffrans a llefydd fel'na, wel jiawl, ma' dishgwl mas siŵr o fod yn haws i chi. Ond 'na fe. Ni ffili help sbo os o's gwridde 'da ni.

HOLWR Ond mae bod gwreiddie gyda ti yn golygu hefyd gelli di deithio'n ddiogel a dal i ddod nôl.

BILLY Wel oty, wy'n gwpod 'ny.

Prísi

Billy!!

Pwy yw hwn?
Crwydryn bach trist sy'n gwisgo hangin caps.
wedi symud i 'secure home' erbyn hyn

HOLWR Beth yw dy wir ddyhead di, Billy?

BILLY Wel wherthin newch chi, sbo, ond sdim gwanieth nawr. Licen i acto.

HOLWR I'r theatr neu'r teledu?

BILLY Simo chi wedi wherthin.

HOLWR Pam ddylen i?

BILLY Wel, 'na beth nele pawb arall. Achos y'n seis i.

HOLWR Ma' actorion tew i ga'l.

BILLY Ar wahân i'r bachan 'na ar Bobol y Cwm?

HOLWR Oes.

BILLY Jiw, jiw. Simo chi'n cretu 'mod i off 'y mhen, te?

Fy hiding place i
6 pastí, 3 mars bar,
6 pecyn crisps
a 3 baget.
Snac bach ontife!.

HOLWR Dim o gwbwl. Un o'r pethau pwysicaf ynglŷn ag aeddfedu a thyfu'n ddyn ifanc yw gosod nodau i dy hunan. Mae'n rhaid i'r nod hwnnw fod yn realistig, ond wedi 'i osod, mae'r broses o gyrraedd at dy ddymuniad yn beiriant sy'n dy yrru di.

BILLY Jiw. 'Na beth mawr. Chi'n cretu dylen i drio gweud wrth Syr?

HOLWR Rwy'n siŵr y byddai'r ysgol yn dy gefnogi di, os taw dyna beth wyt ti eisiau gwneud. Ac wrth gwrs, pe baet ti'n rhoi'r ymdrech briodol i'r gwaith hefyd.

BILLY Wel egselynt. Fe wnaf i. O chi'n gwpod beth, wy'n twmlo mor hapus gallen i fyta crîm cêc bach nawr i selebrêto.

HOLWR Cyn i ni ddirwyn y sgwrs i ben, Billy …

BILLY O, otyn ni'n mynd i gwpla siarad nawr? Wy'n dechre joio chatan nawr.

HOLWR Eisiau gofyn oeddwn i, wyt ti'n edrych ymlaen at Ddawns Fawreddog y Chweched wythnos nesaf?

BILLY Otw i. Wy' wedi heiro siwt, chi'n gweld. A jiw, ma fe'n cwato'n fola i'n ffemys. Gretech chi ddim bod bola gyda fi. 'Na beth mawr yw gwishgo lliw du.

HOLWR Diolch yn fawr i ti am dy amser .

BILLY Croeso, bach. Well i fi fynd nawr. Bydd Mam â'r te ar y ford siŵr o fod. Thenciw fawr!

ELFIS IS ALIVE AND KICKIN YN Y RHONDDA

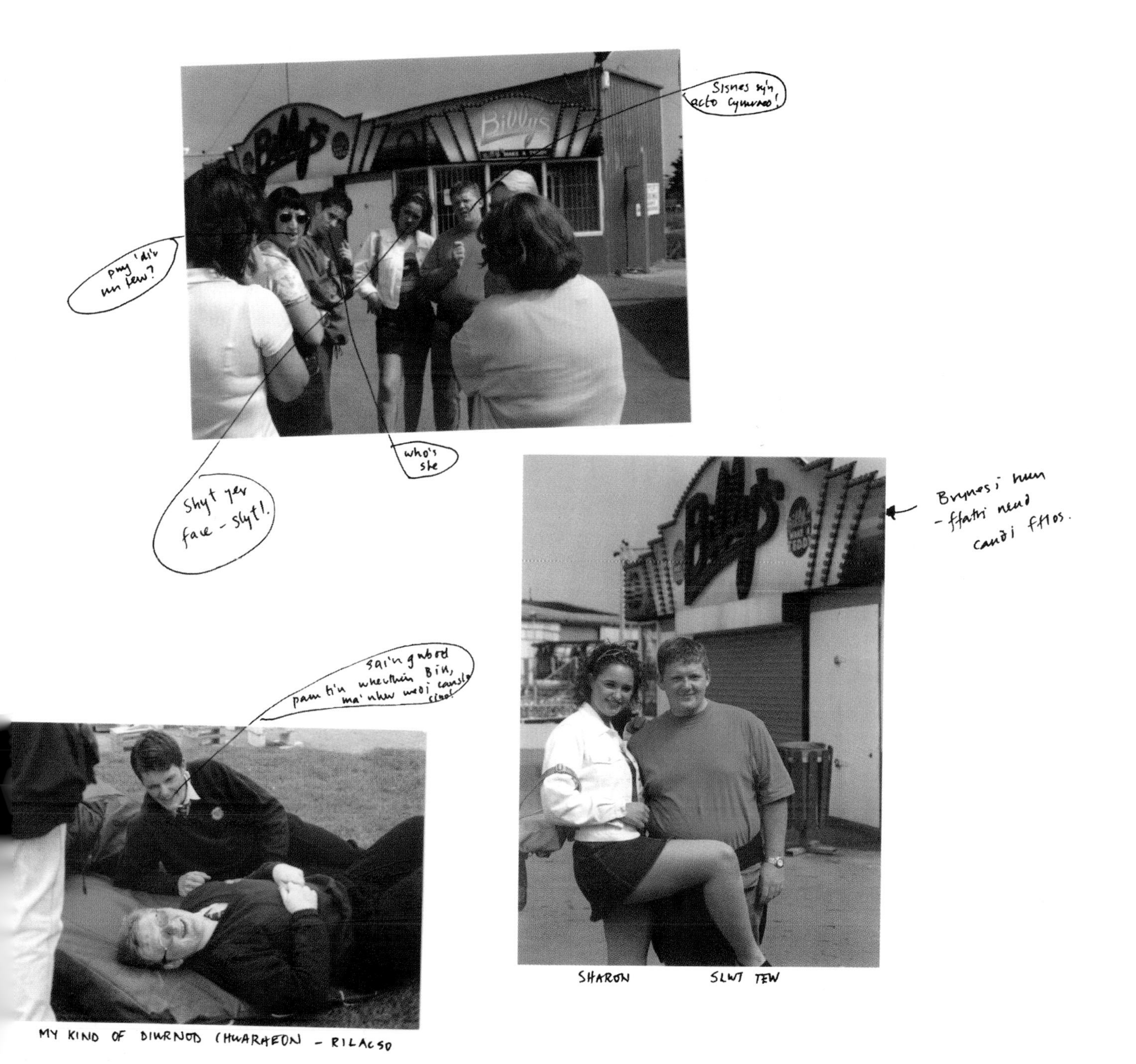

SHARON SLWT TEW

MY KIND OF DIWRNOD CHWARAEON - RILACSO

FI YN TRIO EDRYCH YN FFYRNIG A MACHO! PWY SY'N TRIO TWYLLO PWY?!!

FY MRAWD BACH! NA, RHYWUN O FLWYDDYN SAITH A DORRODD WYNT A CHACHU EI HUNAN MEWN CAMGYMERIAD

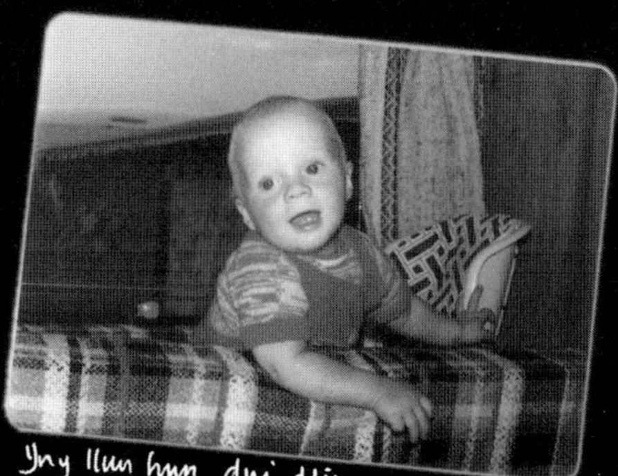

Yny llun hwn, dwi ddim yn gwishgo cewyn!! W!! Beth wede Andrew Bechadur?!!

HOLWR Enw?

ÎFS Dewi Ifan Tomos, ond Îfs ma' pawb yn 'y ngalw i.

HOLWR Oed?

ÎFS Dwy ar bymtheg.

HOLWR Dyddiad geni?

ÎFS Mai y trydydd.

HOLWR A pha Lefelau A wyt ti'n astudio?

ÎFS Cymraeg, Saesneg a Drama.

HOLWR Ma' dy dad yn ddoctor, on'd yw e?

ÎFS Ody. Pam chi'n gofyn?

HOLWR Dim ond bod tuedd gyda meibion a merched i ddoctoried ddilyn proffesiwn eu tad.

ÎFS Dwy' byth wedi dilyn neb. Torri'n llwybr y'n hunan!

HOLWR Ti wedi dweud hwnna gyda chysgod gwên.

ÎFS Do fe? Sori, do'dd dim bwriad gyda fi. Ystyries i wneud y gwyddore, chi'n gwbod, o'n i'n itha lico Gwyddonieth a Bioleg ond, yn y diwedd, penderfynes i bydde'n well 'da fi lenyddiaeth.

HOLWR Ag o'dd dy rieni di'n iawn ynglŷn â hynny?

ÎFS Jiw, jiw, o'n. Pam na fydden nhw?

HOLWR Wedyn, dŷn nhw ddim yn rhoi unrhyw bwysau arnot ti i gydymffurfio mewn unrhyw ffordd.

ÎFS Argol, nagyn. Byth. Dim o gwbl. Sa i'n gwbod os ydw i'n lwcus neu beth, ond 'na gyd ma' Mam a Dad wedi pwysleisio erio'd yw bod yn hapus yn y'ch bywyd a bod yn garedig i bobl.

HOLWR Ma' nhw'n Gristnogol ydyn nhw?

ÎFS Pa gwestiwn ŷch chi'n gofyn?

HOLWR Mae'n ddrwg gen i?

ÎFS Os ŷch chi'n gofyn odyn nhw'n gapelwyr – nagyn. Os ydych chi'n gofyn ydyn nhw'n credu mewn crefydd gyfundrefnol – nagyn. Os ydych chi'n gofyn ydyn nhw'n Gristnogol yn yr ystyr bod egwyddorion moesol y grefydd honno yn rhan o'u ffordd nhw o fyw – odyn.

HOLWR O'dd hwnna'n ateb hir i gwestiwn syml.

ÎFS Sori. Wy' mor flin. Fi yw e. Wy'n amddiffynnol. Chi'n gwbod beth yw hwnna, on'd ŷch chi – dadle gydag Andrew Bechadur gymaint yn yr ysgol. Chi'n gorfod paratoi y'ch hunan i wrthddadle gyda fe.

FI YN EDRYCH YN HIGHLY
PISSED OFF AR ÔL CAL SOCAD
'DA BLWYDD YN UN DEG
TRI! ER ROEDD BERNI'R DŴR
YN WEFREIDDIOL MEWN MANNAU!!!

HOLWR Ie. O'n i ishe gofyn am Mr Jenkins.

ÎFS Ife 'na'i enw iawn e?

HOLWR Ie.

ÎFS Jiw, ŷn ni wedi galw Andrew Bechadur arno fe cyhyd, braidd nagyn ni'n 'i nabod e fel Mr dim byd.

HOLWR Pam wyt ti'n dadle gymaint gydag e?

ÎFS Achos wy'n anghytuno'n llwyr gyda'i agwedd e tuag at bobl hoyw gan fwyaf. Er 'sdim lot 'da fi weud wrtho fe am unrhyw ddaliade sy gyda fe. Mae e'n un o'r bobl gul, galfinistaidd yna sy'n rhoi Cristnogion mewn gole gwael ac yn gwneud i Dduw ymddangos fel rhywun sy'n perthyn i'r Blaid Geidwadol – ar asgell dde y Blaid Geidwadol.

HOLWR Ers faint ma' pethe wedi bod fel hyn?

ÎFS Erio'd mewn gwirionedd. Ond dechreuodd pethe ddirywio'n ddifrifol ddiwedd blwyddyn deg pan o'dd Sharon wedi trio lladd ei hunan. Anghofia i

byth y wers honno. O'dd Bechadur wedi bod yn malu cachu ynglŷn â chosb am ddrwgweithredu a 'na le o'dd Sharon ar ei gwely ange i bob pwrpas. Gododd Rhys a dadle gyda fe, o'n i'n meddwl 'i fod e'n mynd iddi bwno fe – ond fe hwpodd e fe yn 'i ysgwydd a cherdded mas. A'r peth yw, gerddon ni gyd mas, y dosbarth cyfan gyda fe. O'dd e'n hollol wych. *Pupil power!*

HOLWR Beth ddigwyddodd wedyn?

ÎFS Gas Rhys 'i ddiarddel ag ethon ni gyd ar streic tawelwch yng ngwersi Bechadur nes bod Rhys yn dod nôl. Ac ystyried bod 'i wersi *boring* e'n dibynnu ar drafod – o'dd e mewn bach o dwll!

HOLWR A byth ers hynny, do's dim llawer o Gymraeg wedi bod rhyngoch chi?

ÎFS Ffordd boleit o'i roi e. Mae'n anochel ein bod ni'n gorfod siarad gydag e. Mae'n bennaeth blwyddyn a wy'n Brif Swyddog. Ond wir ...!!

HOLWR Ydy Mr Jenkins yn gwbod y'ch bod chi'n hoyw, Îfs?

ÎFS Dwi ddim yn gwbod. Sa i wedi gweud wrtho fe. Wel, a bod yn deg, dim ond ers cwpwl o wthnose wy' wedi dweud wrth y'n ffrindie. Ond ma'r wybodeth bownd o'i

FY ANNWYL RIENI . FY FFRINDIAU

gyrredd e cyn bo hir. Wedyn lwc owt! 'Na beth bydd dadle.

HOLWR Wyt ti'n edrych ymlaen at hynny?

ÎFS Yep! Dim byd fel dadl i gorddi'r dyfroedd.

HOLWR Mae dweud wrth dy ffrindie fel pe bai e wedi rhoi egni newydd i ti.

ÎFS O gwrandwch – 'sdim syniad gyda chi. Cyn hynny, reit, o'n i'n gorfod watsho popeth o'n i'n dweud, popeth o'n i'n meddwl. O'dd pob dim fel tase fe'n mynd trwy ridyll yn 'y mhen i, i weld os o'dd y geirie'n mynd i gydymffurfio gyda beth o'dd pobl yn disgwyl ohona i a gyda beth o'n i'n disgwyl oddi wrth y'n hunan. Uffern, absoliwt uffern ar y ddaear. O'r eiliad wedes i wrthyn nhw ac wrth Mam a Dad – mae e fel tasen i'n rhydd.

HOLWR Ond gest ti drafferth yn yr ysgol.

ÎFS I'w ddisgwyl. Mae e drosodd nawr.

HOLWR Wyt ti'n gwbod pwy nath y pethe 'na i ti?

ÎFS Odw.

HOLWR Ond dwyt ti ddim eisiau dweud pwy.

ÎFS Nagw. A fydda i ddim – byth. Ma'r bennod 'na wedi cau. Nid gyda fi o'dd y broblem.

HOLWR Digon teg. Pam yn gwmws benderfynest ti ddweud wrth Rhys yn gyntaf?

ÎFS Fe yw'n ffrind gore i a wy'n gwbod bod hwnna yn blentynnedd braidd achos ŷn ni gyd yn agos. Ond os o's shwd beth ag enaid hoff cytûn i ga'l, Rhys yw e. Ni wedi tyfu gyda'n gilydd. O'r ysgol feithrin, reit drwy'r ysgol gynradd i ble ŷn ni nawr. Wy'n mynd i fod ar goll blwyddyn nesa ar ôl gorffen lefel A. Dŷn ni ddim yn bwriadu mynd i'r un prifysgolion.

HOLWR Ond fe wedest ti wrtho fe gynta?

ÎFS Do. Ma' eiliade yn y'ch bywyd chi … eiliade nid munude … lle ma' popeth ŷch chi'n teimlo a chlywed a gwynto – mae e fel synthesis mawr. Ag o'n ni'n dou yn ishte man'na ar yr Wyddfa, Rhys yn ddigalon oherwydd o'dd Llinos wedi cwpla gyda fe a fi'n edrych ar yr olygfa hollol anhygoel yma – y dyffryn islaw i fi, ehedydd wy'n credu yn canu uwch 'y mhen i a chwpled T H Parry Williams yn bownso yn 'y nghof i –

> 'Ac anferth o gelwydd yw'r bywyd sydd,
> Mewn ofn a chadwynau nos a dydd.'

Ag o'dd e fel gweld y golau chi'n gwbod. Yr eiliad yna o'dd e fel gweld y golau. Fel tröedigaeth. O'dd e'n ddisgrifiad o 'mywyd i bob dydd, y celwydd, yr anferth o gelwydd, yr ofn a chadwynau – yr ugeiniau o ferched o'dd wedi mynd allan gyda fi, y cannoedd o snogs bach pathetig o'n i wedi cael, yr adege o'n i wedi ffindo esgusodion i beidio â chysgu gyda merched, achos o'n i'n cael digon o gynigion – yr holl bethe 'na o'dd wedi bod yn creu'r uffern yna yn 'y mhen i ers blynyddoedd, ond o'dd wedi gwaethygu yn ystod y ddwy flynedd diwetha 'ma ag o'n i jyst yn meddwl – gall hwn stopid fan hyn heddi, nawr. A wedes i. O'dd Rhys yn anhygoel o dda. O'dd e'n sioc iddo fe. Ond o'dd e mor cŵl. Etho i ddim i'r ysgol yr wthnos ddilynol. O'n i ffili credu 'mod i wedi dod mas â fe. Achos wedes i rywbeth tebyg wrtho fe ym mlwyddyn deg. Ond gwades i pryd 'ny. Ag o'n i ishe gwadu tro 'ma eto. Ond o'dd y ffycin barddoniaeth 'ma – sori, rheges i nawr – ond o'dd y geiriau 'na pallu rhoi llonydd i fi. A dath Rhys rownd a 'nghysuro i. Sori, wy'n siarad yn ofnadw. Fe gia i mhen.

HOLWR Mae'n hyfryd dy glywed di mor llafar am y profiad.

ÎFS O mae'n hawdd nawr. Yn y dweud pryd 'ny o'dd e'n anodd.

HOLWR O'dd Gwyddel o'r enw Daire yn ddylanwad arnat ti?

ÎFS Shwd ŷch ch'n gwbod 'na?

HOLWR Dirgel ffyrdd!

ÎFS Wel o'dd, dylanwad mawr. Ciaran Daire O'Donnell i roi ei enw llawn. Cwrddon ni â fe a'i ffrindie yn Llunden a wedodd e wrth bawb ei fod e'n hoyw. Ag o'n i jyst yn meddwl, *my God,* ma fe man 'yn yn dweud wrthon ni ddieithriaid a dyw e ddim cywilydd achos d'os dim byd gyda fe i fod cywilydd ohono fe ta beth! Pam odw i'n credu mai rhywbeth i fod cywilydd ohono fe yw e? A ma' hwnna'n gwneud sens, on'd yw e?

HOLWR Ydy.

ÎFS Wel o ble mae'r syniad 'ma wedi dechre dylsech chi deimlo cywilydd am eich teimlade?

HOLWR Ti'n chwilio am ateb i hwnna?

HOLWR A does dim rhaid i ti ddweud rhagor os nad wyt ti'n dewis.

ÎFS Na sdim ots gyda fi. Wy' dal ddim yn deall ble ges i'r gyts. O'n i'n cael brecwast ar 'y mhen y'n hunan un bore – o'dd Dad a Mam bant rhywle, a'r peth nesa wy'n cofio gwneud yw codi'r ffôn i siarad ag e, wedyn i'r *Travel Agents* sy gyda Mam a Dad a threfnu hedfan o Gaerdydd.

HOLWR Shwd brofiad oedd bod yn Iwerddon?

ÎFS Anhygoel. Wedes i wrth mam a dad 'y mod i'n mynd i Iwerddon, ond ddim gyda phwy o'n i'n aros. Chi wedi bod yn Galway erioed?

HOLWR Naddo.

Fy edrychiad pōsi, mŵdi!

ÎFS Ddim rîli, nagw, ond ma' digon o ddamcaniaethe gyda fi a ma' nhw gyd yn cyfeirio at Andrew Bechadur. Ond Daire a'i ddewrder, a galla i ddweud nawr, o'n, o'n i yn 'i ffansïo fe. *God,* wy ffili credu 'mod i jyst wedi dweud 'na. Galla i ddweud e eto?

HOLWR Os ti'n dewis.

ÎFS O'n i'n ffansïo Daire! Es i i Iwerddon am benwythnos.

HOLWR Fel o'n i'n deall.

ÎFS Arhoses i gyda fe.

ÎFS Anhygoel. Hollol anhygoel. O'dd Daire arfer byw yn Belffast yng nghanol y brwydro ond symudodd ei deulu fe i Galway. Aeth e â fi i Ddulyn am y dydd. Gweles i bobman o bwys. Y Swyddfa Bost lle o'dd y gwrthryfel a'r olion bwledi dal yno, y carchar lle saethwyd Padrig Pearse a'r gwrthryfelwyr eraill. Anhygoel. A thrwy'r amser, trwy'r dyddie yna o'n i'n teimlo'r heddwch anhygoel yma.

HOLWR Oherwydd dy fod di gyda Daire.

ÎFS Ie. Oherwydd o'n i gyda rhywun oedd yn hoyw, ag o'n i'n gwbod o'dd yn hoyw ag o'n i'n gwbod

FI YN YR EILIAD DDWYS AR YR WYDDFA

"Ac anferth o gelwydd yw'r bywyd sydd
mewn ofn a chadwynau nos a dydd."

OFN

Eisteddais a gweld.
Eisteddais a phenderfynu.
Penderfynu ildio i'r
demtasiwn,
temtasiwn bod yn ddyn
nid cysgod
ildio i realiti
byw
ac yn y byw
anadlu rhyddid.

FY FFRIND

"An anferth o gelwydd yw'r bywyd sydd
mewn ofn a chadwynau, nos a dydd."

DIM RHAGOR DDÔ!!

Yr eiliad o ansicrwydd
gyda Rhys pan ôn i eisiau
gwadu, rhedeg i ffwrdd, ia
fe'n stopo'r gwadu

fy nghwm, fy mabinogi,
fy ngeni

DAIRE - Cwrdd yn Llundain. Agor fy
llygaid i weld y golau.

o'dd e'n gwbod 'y mod i'n hoyw er do'n i ddim wedi dweud. Sori, ma' hwnna'n swnio mor hyll o gymhleth. Fe wedes i wrth Daire.

HOLWR A'i ymateb?

ÎFS "Îfs, I know." Sioc! "What?" wedes i, "I've got a sign on my forehead or something?" Ond jyst gwenu wnaeth e. O'dd e mor wych cael bod yn onest eto. A phan ethon ni nôl i Galway, gysges i gyda fe. Y person cyntaf i fi gysgu gyda fe erioed.

HOLWR Person?

ÎFS Sori. Dyn.

HOLWR O'dd e'n deimlad o ansicrwydd?

ÎFS *God,* nagodd. O'dd e'n deimlad hyfryd. O'dd e'n teimlo mor iawn. Mor sicr a iawn. Ar y dechre, pan gofleidion ni, o'dd yr holl amheuon yna'n rhedeg ata i, rwy'n gwneud rhywbeth anghywir fan hyn. Ag o'dd e'n gallu teimlo hwnna hefyd yndda i. A wedyn o'dd rhagor o farddoniaeth yn rhuthro trwy 'nghof i, 'Rwy'n wych rwy'n wael, rwy'n gymysg oll i gyd.' A wy'n cofio crynu. Crynu a shiglo. Chi'n gweld. Dwy' ddim yn siŵr os mai fel'na mae e i bobl hetrorywiol, y cyfarfod yna o ddau enaid, achos dyna yw e yn y diwedd – dau enaid, dwy ddealltwriaeth yn cwrdd. Ond y pwynt yw, yn y byd ŷn ni'n byw ynddo fe, does dim enghrefftiau positif o hynny o's e? Weles i ddim llyfr na magasîn yn dangos dau ddyn, dau ddyn ifanc yn cael cwtsh a chofleidio heb sôn am gael rhyw. Wedyn o'dd popeth yn 'y mywyd i yn brwydro yn erbyn hyn. Ac o'dd yr eiliad wedi cyrraedd lle gallen i dorri'r tabŵ! Ildio i beth o'dd 'y nghorff a'n feddwl wedi gwybod erioed. Ond wedi methu ei fynegi. Yr unig gymhariaeth alla i wneud fydde'n gwneud sens i chi yw ei fod e fel dyn du yn byw trwy'i oes fel dyn gwyn ac yna sylweddoli shwd beth oedd e i fod yn ddu. Ydy hwnna'n gwneud sens?

HOLWR Ydy.

ÎFS Wy'n cofio dihuno yn y bore bach a gwrando arno fe'n anadlu. Meddwl ... beth odw i wedi gwneud? A phenderfynu. Dim byd. Dwy' ddim wedi gwneud dim byd. Dim ond dilyn 'y ngreddf. Ond penderfynes i yn y fan a'r lle 'y mod i'n mynd i ddweud wrth y gang wedi i fi ddod gartre.

HOLWR Pam?

ÎFS Achos bydde gwadu'r profiad yn dweud bod cywilydd 'da fi ohono fe ac ohona i i fy hunan. A nag o'dd 'ny'n wir.

HOLWR Oes peryg dy fod ti nawr yn mynd i swnio fel efengylydd?

ÎFS Wy'n anffyddiwr.

HOLWR Yn dy sêl i argyhoeddi pawb bod bod yn hoyw yn cŵl.

ÎFS Ma' hwnna'n sylw mor anhygoel o stiwpid dwy' ddim yn siŵr shwd i ymateb.

HOLWR Mae'n ddrwg gen i?

ÎFS Ydy pobl hetrorywiol yn mynd o gwmpas y lle yn trio argyhoeddi pawb ei fod e'n cŵl i fod yn hetrorywiol! Arglwydd mawr. Dwy' ddim wedi treulio dwy flynedd ar bymtheg cyntaf 'y mywyd yn y closet i neidio nôl mewn 'na, er mwyn dyn! Yng ngeiriau Shirley Bassey, 'I am what I am.' Dwi ddim yn mynd i ymddiheuro am hwnna byth eto! Dwy' ddim yn mynd i wneud esgus dros 'y nheimlade a wy' mor ddiolchgar i'r holl aelodau seneddol, yr ymgyrchwyr, y miloedd sydd wedi diodde'n dawel yn bersonol am ostwng oedran cydsynio rhywiol. 'Sdim syniad gyda chi beth mae cam fel 'na yn 'i olygu. Nawr os odw i'n *boring* oherwydd 'mod i'n siarad am y profiad, fe stopa i! Ond 'sneb byth eto yn mynd i gael *get away* gydag unrhyw ddirmyg na gwawd tuag ata i na phawb sy'n debyg i fi.

HOLWR Mae'n ddrwg gen i. Nid dyna oedd bwriad y cwestiwn.

ÎFS Symudwn ni mlaen, ife?

HOLWR O'r gore. Beth fydde'ch cyngor chi i rywun hoyw oedd yn trio cadw'r peth yn gyfrinach?

ÎFS Mae'n brofiad gwahanol i bob un. Bydden i'n argymell gonestrwydd mor gyflym ag sy'n bosib. Ond bydden i hefyd yn dweud wrth unrhyw un i bido ca'l y'ch fforso, i bido â theimlo y rheidrwydd. Gwerth person yw pob egwyddor wedodd rhywun. 'Na beth ddath yn glir i fi trwy'r holl brofiade 'ma – mai'r person, yr unigolyn sy'n bwysig. Ma'n rhaid i ni barchu hynny ne do's dim byd 'da ni.

HOLWR Byddet ti'n ystyried dy hunan yn berson golygus?

ÎFS Na.

HOLWR Bydde lot yn anghytuno.

ÎFS Ocê, 'sdim spots gyda fi. Ond mater o lwc yw hwnna, ontife. A dwy' ddim yn magu pwyse, so 'sdim problem Billy gyda fi. Ond wy' jyst mor gyffredin. Dwy' ddim yn deall pam bod pobl yn mynd yn hyng yp am y peth.

HOLWR Mae'n hawdd i ddyn gydag un llygad ddweud wrth ddynion dall pam eu bod nhw'n cwyno hefyd, on'd yw e?

ÎFS Wel, olreit, *point taken,* ys wedodd Billy.

HOLWR Fe wedest ti gynne, "sdim problem Billy gyda fi", yng nghyd-destun 'i bwyse fe. Wyt ti'n cydnabod felly bod problem gyda Billy.

ÎFS Dal sownd nawr. Chi'n rhoi geirie yn 'y ngheg i.

HOLWR Wel, a bod yn deg, tase rhywun yn dweud bod "problem gydag Îfs achos 'i fod e'n hoyw", byddet ti'n barod i ffrwydro.

ÎFS Byddwn. *O God,* wy' newydd wneud beirniadaeth ar rywun a do'dd dim hawl 'da fi wneud 'na. Wy' mor flin. Wy' jyst wedi syrthio mewn i'r trap wy'n beirniadu pawb arall am syrthio mewn iddo fe. Pwynt yw, falle bod Billy yn berffeth hapus gyda'i bwyse a dyw e ddim yn broblem o gwbl, dim ond fi sy'n canfod ei fod e'n broblem oherwydd y ffordd wy'n edrych ar Billy.

HOLWR Mewn gair.

ÎFS Chi'n iawn. Argol. Sori, ma' hwnna'n rhywbeth mor fyfïaidd i wneud. Wy'n mynd i ymddiheuro i Billy.

HOLWR Ond dyw Billy ddim wedi clywed y sgwrs.

ÎFS Nagyw, chi'n iawn. Ond fe fydda i'n ymddiheuro iddo fe pan gaf i gyfle i esbonio.

Ar y Lws Haf
rhwng coese Sharon!
Yr unig dro i fi gyda
llaw.

HOLWR Ble wyt ti'n gweld dy hunan mewn deng mlynedd, Îfs?

ÎFS Cwestiwn anodd iawn.

HOLWR Wyt ti'n credu y doi di nôl i'r cwm yma ar ôl bod yn y Brifysgol?

ÎFS Cwestiwn arall hynod o anodd. Wy'n gobitho bydda i wedi gweld y byd. Wy'n gwbl benderfynol o hynny. Gradd gyntaf fydd yn Iwerddon. Wy' eisiau teithio'n helaeth yn Ewrop a dysgu rhyw ddwy iaith Ewropeaidd o leiaf. Ffrangeg a Sbaeneg ac efallai Eidaleg ar y ffordd. Licen i wneud Ph.D ym Mharis. Ac ar ôl hynny – pwy ŵyr?

HOLWR Setlo lawr?

ÎFS Gyda dau o blant a gwraig ife? *Not.*

HOLWR Ond wyt ti'n meddwl am y dyfodol pell a phartneriaeth?

ÎFS Nagw. Alla i ddim. Pe bawn i, nôl yng Nghymru bydde hynny'n digwydd siŵr o fod. Ac mae'n ddigon tebyg mai yn y cwm bydde hynny. Ond ddim am oes pys gobeithio.

HOLWR Wyt ti'n ystyried dy hunan yn freintiedig oherwydd hynny?

ÎFS Ydw. Dros ben. Achos dyw Spikey na Dymps na Sharon ddim yn mynd i gael y cyfle 'na odyn nhw? Wy'n gwbod ishws bod Mam a Dad wedi casglu a chadw digon o arian i 'nghadw i yn y Brifysgol am chwe mlynedd. Ychwanegwch at hwnna y gwaddol ma' nhw wedi rhoi mewn polisïau yswiriant i fi pan fydda i'n un ar hugain, a'r arian ma'r ddwy fam-gu wedi rhoi naill ochr i fi a wy'n *little rich pampered kid*! Sori.

HOLWR Ydy hynny'n gwneud i ti deimlo'n euog mewn unrhyw ffordd, bod yr holl gyfleoedd yna o dy flaen di?

ÎFS Ydy ar adegau, mae'n rhaid i fi ddweud. Ond wy'n gwbod hefyd, na fydden i'n swopo llefydd gyda neb chwaith achos wy' moyn cael y cyfleoedd yna a gwneud y gorau ohonyn nhw. Alla i ddim ag ymddiheuro am gael 'y ngeni mewn i sefyllfa fel yna alla i?

HOLWR Dim o gwbwl. Mae'n ymddangos y byddi di bant o Gymru am flynyddoedd lawer, Îfs. Ydy hynny'n meddwl na fyddi di'n hidio amdani?

ÎFS Cwestiwn rhyfeddol o dwp, os ca i ddweud.

HOLWR Cei.

ÎFS Dŷch chi ddim yn peidio â charu eich gwlad oherwydd dŷch chi ddim yn byw 'na.

HOLWR Ond elli di wneud fawr ddim drosti chwaith yn dy absenoldeb ar wahân i hiraethu.

ÎFS Dadleuol. Ond bydde 'mhresenoldeb i fel Cymro mewn Prifysgol Ewropeaidd yn dylanwadu ar y bobl o 'nghwmpas i.

HOLWR Fel effeithiodd hynny ar y myfyrwyr oedd yn Heidelberg a'r Sorbonne pan oedd T H Parry Williams yno ddechrau'r ganrif hon!

ÎFS Bilôw ddy belt, braidd. Ond nage'r cwestiwn ddylech chi fod yn gofyn yw pwy effaith gafodd y prifysgolion hynny ar T H Parry Williams a'i farddoniaeth a'i waith, a'r cyfoeth profiadau ddaeth e â nhw nôl gyda fe i Gymru? Allwch chi ddim â gwadu nad yw e wedi cyfoethogi'n llenyddiaeth ni trwy ei olwg eangfrydig ar y byd a pherthynas Cymru a'r byd.

HOLWR Dadleuol.

ÎFS O dewch mla'n! Saunders Lewis a'i gariad at y cyfandir a Ffrainc yn fwyaf arbennig a'i weledigaeth e o Gymru yn rhan o Ewrop sy'n cael ei gwireddu nawr!

HOLWR Rwy'n gweld dy safbwynt, Îfs. Gobeithio bydd amser yn caniatáu i ti wneud rhywbeth adeiladol gyda'r weledigaeth. Ti ar fin mynd i Ddawns y Chweched.

ÎFS Ydw. Jiw ma' hwnna'n naid cwantym!

HOLWR Ydy. Wyt ti'n edrych ymlaen?

ÎFS Ydw, yn fawr. Er, fydd neb eisiau dawnsio gyda fi siŵr o fod – ar wahân i Rhys!

HOLWR Byddet ti'n dawnsio gyda bachgen arall?

ÎFS Wrth gwrs bydden i – yn enwedig os oedd Andrew Bechadur yn edrych! Cydraddoldeb rhywiol!

HOLWR Diolch i ti am dy amser.

ÎFS Pleser.

"Miss, pam odyn ni wedi cerdded i gopa'r Wyddfa?" Yn y niwl?"

elins

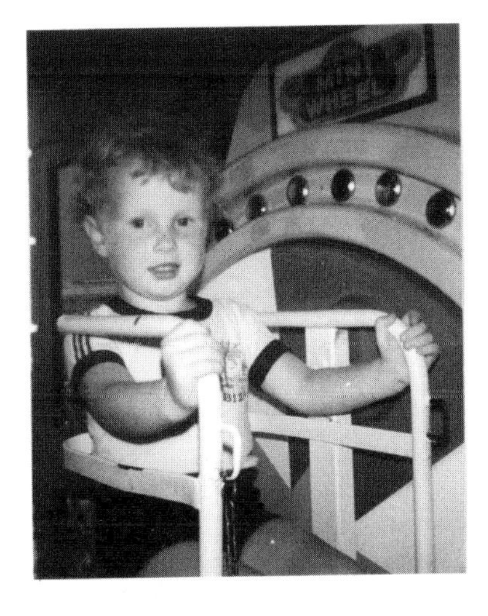

Methu escēpo o'r gwallt coch! Fi ar y Ffair rhywle. Secs mashīn!

HOLWR Enw?

ELINS Elins

HOLWR Enw iawn.

ELINS Andrew "ginger avenger" Lincoln.

HOLWR Oed?

ELINS Un deg saith.

HOLWR Dyddiad geni?

ELINS Rhagfyr y nawfed.

HOLWR Andrew, wyt ti'n poeni bod gwallt coch gyda ti?

ELINS O gero streit *to the point*, bachan! Na. Oes. Ydw. Weithiau. Mae wedi bod yn sleit problem ar adegau yn fy mywyd. Ond erbyn hyn dwy' ddim wir yn hido llawer iawn achos *tossers* fel arfer sy'n becso am liw fy ngwallt. *Tossers* sydd heb wallt, *tossers* sydd gyda gwallt ofnadw o seimllyd a sboti. 'Ma'r gwallt ma' Duw wedi rhoi i fi, a'r gwallt yma wy'n mynd i farw gyda fe gobeithio. *And it's not a problem.*

HOLWR Wyt ti'n credu ei fod e wedi effeithio ar dy bersonoliaeth di o gwbwl?

ELINS Ddim yn gwybod. Efallai. Sbôs yn ysgol ni mae fel bod yn ddu neu rywbeth. Paid cael fi'n rong nawr, ond dim llawer o bobl â gwallt coch yn blwyddyn fi a mae fel 'na gyd o'r ffordd trwy'r ysgol. Falle pedwar neu bump yn y flwyddyn. A mae hwnna'n neud ti teimlo – o wel, fi'n wahanol! A hwnna yn gallu bod yn beth negatif a pheth positif. Os ti allan ar ben dy hunan mae'n negatif, ti'n troi mewn i *loner* neu rywbeth ti'n gwbod, os ti yng nghanol ffrindiau, mae'n gallu bod yn rhywbeth da. Ond y peth sy'n rîli gwneud pen fi mewn yw pobl yn gofyn os yw gwallt fi'n *ginger* 'all over'?!! Ei mîn, nady fe! *Get a life.* Pam ydy pobl yn becso os yw *pubic hairs* fi'n *ginger*? 'Sdim byd gwell gyda nhw neud, myn?

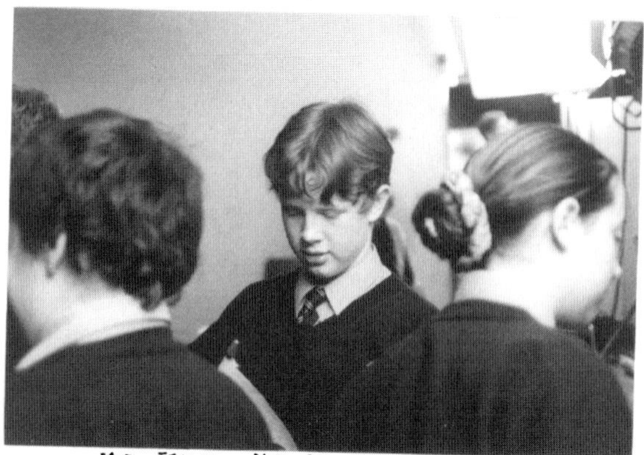

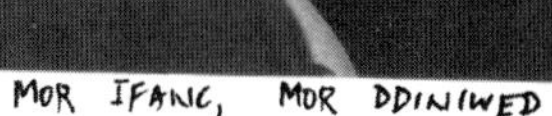

Mae cwpanau polîstelrîn yn blasu'n hyfryd.

HOLWR Mae'n amlwg dy fod yn meddwl yn ddwfwn am bethau, Andrew.

ELINS Pam chi'n gweud 'na?

HOLWR Mae dy atebion di yn rhai llawn.

ELINS Chi'n trio gweud fi'n siarad gormod?

HOLWR Dim o gwbwl. Mae ôl meddwl ar beth wyt ti'n ei ddweud.

ELINS Wiyrd, gwybod. Rhai pobl yn credu fi'n *moody*, ond mae e ddim fel 'na o gwbl. Fi jyst yn meddwl am bethau. Fi'n *the quiet man*. Wel 'na beth mae pobl yn galw fi weithiau. Ond fi ddim yn pwdu.

HOLWR Ga i ofyn i ti 'te, Andrew, beth o't ti'n meddwl o weithred Rhys, Îfs a Llinos dros Gymdeithas yr Iaith?

ELINS Dewr. Ni gyd wedi bod yn rhan o'r trafod yma i seto lan cell Cymdeithas yr Iaith, a stiwpid Andrew Bechadur ddim eisiau ni wneud ef. Mae'r dyn yna, mae'n rhaid i fi ddweud, mae e wedi rhoi fi off y syniad o fod yn athro.

HOLWR O'dd hwnna ar dy feddwl di?

ELINS O'dd. Fi ddim yn siŵr os oes digon o frains gyda fi, ond roedd e wedi bod yn rhan o'r syniad. Mam a Dad fi'n byw ar y dôl, chi'n gweld, wedi cael eu gwneud yn *redundant* – y ddau ohonyn nhw. A fi wedi ca'l canlyniade TGAU gweddol a dad yn dweud, *"Son, I would be so proud if you could be the first to go to college to make something of yourself."* A ma' hwnna wedi dechrau fi off i feddwl, ond wy' ddim mor siŵr nawr achos y tospot yna.

HOLWR Oes athrawon eraill wyt ti'n eu hedmygu?

ELINS O oes, Syr a Miss. Gwych. Ardderchog. Bendigedig. Da iawn. A'r holl ansoddeiriau eraill sy'n rhan o'r iaith. Od, on'd yw e? Ni'n gallu adnabod ffurfiau iaith a ni methu siarad hi yn gywir.

HOLWR Ydy hwnna'n broblem i ti?

ELINS *God* na, ddim i fi! Falle bydd e'n broblem i blôc sy'n marco papur arholiad ni mewn blwyddyn ond dyw e ddim yn broblem i fi o gwbwl.

HOLWR Cymdeithas yr Iaith?

ELINS O ie. Wel, *point* yw, reit, roedden nhw wedi gweithredu bron â bod ar pen eu hunen nhw? Ddim yn gwrthwynebu hynny, ond leic doedd dim trafodaeth wedi bod – sbôs achos do'dd dim cell yn bodoli i gael trafodaeth. A chi'n gallu dweud bod Iesu Grist ddim wedi aros i gael trafodaeth pan oedd e wedi gerro rid o'r cyfnewidwyr arian yn y deml – oedd e jyst wedi gwneud e. Wedyn wy' yn cefnogi beth wnaethon nhw. Gethon nhw tons o stic yn yr ysgol oddi wrth rai staff. Ddim Miss a Syr. Ond oedd rhai staff!! A hwnna yn absoliwtli dŵo 'ed fi mewn. Ei mîn, mae hon yn ysgol Gymraeg, nady fe? Pam ydy pobl ofn gwneud rhywbeth dros y Gymraeg?

HOLWR O ble wyt ti'n credu mae'r tân yma dros y Gymraeg wedi dod gyda'r grŵp?

ELINS Hwnna'n hawdd i ateb. Reit, pedair ysgol gynradd yn bwydo'r ysgol gyfun yma. Wel, athrawon ysgolion cynradd yn nabod ei gilydd, nadyn nhw? Nhw'n siarad â'i gilydd, nadyn nhw? *Master plan* i gael cenhedlaeth newydd o bobl yn siarad Cymraeg yn y cwm. Ac ar ran fy hunan fi'n gorfod dweud oedd athrawes ysgol gynradd gyda fi bydden i wedi marw i hi, sori – iddi. Absoliwtli caru ddi, a hi wedi gofyn i ni beidio siarad Saesneg tu fewn a thu fas i'r ysgol a blwyddyn ni heb. *And it's* lysh.

HOLWR Ydy e'n broblem siarad Cymraeg tu fas i'r ysgol?

ELINS Na.

HOLWR Ydych chi'n cymdeithasu fel criw tu fas i oriau ysgol?

ELINS Odyn. Spikey, fi, Dymps, Spans – ni'n mynd i gael peint bach yn y Llwyncelyn gyda'n gilydd. Mynd i'r jim i drio chwysu'r peint 'na off. Mae tipyn bach o fola tew gyda fi a ni'n trio helpu'n gilydd.

HOLWR A chi'n siarad Cymraeg gyda'ch gilydd?

ELINS Odyn. Pam chi'n edrych yn siocd?

HOLWR Dyw e ddim yn wir am aelodau pob ysgol Gymraeg.

ELINS Na, sbôs mae ddim, ond ni jyst wedi clico, fel, a mae'n annaturiol i siarad Saesneg gyda phobol nawr.

HOLWR Pwy fyddet ti'n ystyried fel dy ffrind gore yn y grŵp?

ELINS Dymps.

HOLWR Ateb pendant.

ELINS Wel 'sdim amheuaeth mewn gwirionedd. Ni jyst wedi clico. Fi'n deall mŵds e a fe deffinitli yn deall fy mŵds i!

HOLWR Pa fath o fŵds wyt ti'n eu cael, Andrew?

ELINS *Depressed ones* wy'n credu. Wy'n meddwl lot am y byd a phroblemau'r byd, chi'n gwybod. Becso am sut mae pobol yn edrych arna i. Becso os yw pobol yn meddwl fi'n hoyw achos sdim cariad gyda fi.

HOLWR Ydy hwnna'n broblem?

ELINS Wel na, mae ddim achos fi ddim yn hoyw. A fi yn edmygu Îfs a hwnna i gyd, ond mae'n gymhleth

Dymps jyst wedi rhoi bisgits y beirniaid lawr pans fe! HA!!!

Ni'n tri, yn trio edrych yn hard!

Fi ac un o'm ffrindiau. Ei enw fe yw Myffin!

TRI FFRIND

achos wy'n wallt coch a wy'n wahanol, wy' eisiau bod yr un peth â phobol eraill a wy' eisiau cariad fel wy'n gallu dweud bod rhywun arbennig gyda fi ac oedd hwnna wedi dod mas mewn un blyrb rong a galla i ddechre eto?

HOLWR Wrth gwrs.

ELINS Ydw, rwy'n edmygu Îfs ac yn parchu Îfs. Dyw hwnna ddim yn broblem o gwbl. Ac eniwei, mae pob bachgen yn mynd trwy *period* lle mae'n credu mae'n caru ei ffrind. Deffinit. Fi wedi bod trwyddo fe. 'Na pam o'n i wedi dweud hwnna. Ond beth wy' eisiau dweud am fy hunan yw ydw, wy' eisie cwmni rhywun. Fi wedi cael cwpwl o potshus gyda chwpwl o ferched, ond 'sdim byd wedi gweithio allan.

HOLWR Wyt ti'n wyryf, Andrew?

ELINS Ydw.

HOLWR Ydy hwnna'n broblem?

ELINS Ydy a nagyw. Ydw wy' eisie cael rhyw gyda merch. A nage jyst i gael profiad rhywiol *as nice as that would be*, ontife! Wel 'na beth mae Prîsi yn dweud wrth bawb. Ond dyw'r profiad rhywiol ar ei ben ei hunan ddim yn golygu llawer i fi. Wel jiw, ma' pob bachgen yn neud hwnna bob dydd bron a bod ta p'un, nagyw e!? Felly dyw'r profiad ar ei ben ei hunan ddim yn werthfawr. Ond wy' jyst eisie dychmygu'r teimlad yna o berthyn i rywun, jyst i un person, a hi'n credu mai chi yw'r peth pwysica yn y byd. Chi yw'r peth sy'n gwneud iddi hi, neu yn achos Îfs, iddo fe tico a bod eisiau codi. Gweld, i fi hwnna yw secs. Wy'n gwbod dyw e ddim, wy'n deall bod yr holl stwff corfforol yna'n mynd gyda fe. Ond fi'n gorfod dweud wy'n *scared* o hwnna tamed bach.

HOLWR Pam?

ELINS Ofn gwneud ffŵl o fy hunan. Ofn bydd hi'n chwerthin arna i. Ofn trafod. Ei mîn dwy' ddim wedi bod yn agos at y sefyllfa eto lle chi'n trafod gyda merch am atal cenhedlu – condoms a phethe. Ei mîn, *that's when my* wyneb *is* cochach na fy ngwallt! A mae meddwl am fod yn noeth gyda hi! O mei God. Wy'n *convinced* mai'r peth cynta bydd hi'n gwneud yw checo lliw fy mhiwbs! Wy'n cal y freuddwyd 'ma withe chi'n gwbod, ac ynddo fe, wy' wedi deio fy mhiwbs yn ddu jyst i fod fel pawb arall, ac yng nghanol y busnes caru 'ma – ni mas ar ben mynydd a mae'n dechrau

LYFO HI!!.

Y GANG.

bwrw glaw a ma'r lliw yn rhedeg a ni'n bennu lan yn edrych fel glowyr yn dod lan o'r pwll! Ych! Mae popeth fel 'na mor gymhleth, nagyw e?

HOLWR Ydy pob bachgen mor sensitif â hyn ynglŷn â'r weithred?

ELINS Mae Dymps a Spans ac, er 'i holl siarad e, wy'n siŵr bod Spikey. Od, buodd Llinos a Rhys mas da'i gilydd am *ages* cyn iddyn nhw orffen so mae'n amlwg eu bod nhw'n sysd ac achos eu bod nhw wedi gorffen gyda'i gilydd, ma' nhw'n gallu symud mlaen a shario'r wybodaeth yna gyda'u partners newydd nhw. Ond ma' criw ohonon ni yng nghanol y gang, 'wy'n credu byddwn ni'n wyryfod pan ni'n ugain!

HOLWR Ydy hynny'n broblem?

ELINS I'r *human race*! Wy'n synnu, chi'n gwbod, bod yr *human race* wedi goroesi weithiau os yw pawb yn teimlo mor lletchwith am ryw ag ydw i a rhai o'r bois.

HOLWR Falle 'i fod e'n rhywbeth sy'n datblygu.

ELINS Cyn bo hir gobeithio!

HOLWR Fe ddywedest ti gynne dy fod yn gofidio am y byd a'r dyfodol, Andrew. Beth wyt ti'n gweld fel y broblem fwyaf sy'n wynebu'r ddynoliaeth yn yr unfed ganrif ar hugain?

ELINS America.

HOLWR Mae'n ddrwg gen i?

ELINS America. Wy'n credu taw America yw'r bygythiad mwyaf i heddwch y byd ac yn sicr i iechyd y byd a'r amgylchedd yn yr unfed ganrif ar hugain.

HOLWR Mae hwnna'n ddatganiad rhyfeddol o gryf.

ELINS Achos wy'n teimlo'n gryf. Meddwl am y peth reit – pwy yw'r wlad sy'n defnyddio mwyaf o egni ac ynni yn y byd?

HOLWR Dwy' ddim yn gwybod.

ELINS America.

HOLWR Oes tystiolaeth gyda ti i brofi hynny?

ELINS Oes. *Per head* a chymhareb *wise – ratio* yw cymhareb, ni'n dysgu 'na yn Mathemateg – Americanwyr sy'n defnyddio mwyaf o olew crai yn y byd i gyd. Ac achos ma' nhw eisiau cadw prisoedd olew yn annaturiol o isel yn gwlad eu hunain – pam chi'n meddwl digwyddodd rhyfel y Gwlff? Fi'n gwybod fi'n ifanc yn '91 ond wy' wedi darllen amdano fe. Fydde'r Americaniaid ddim wedi rhuthro mewn i Kuwait tase'r lle llawn letysus, bydden nhw? George Bush oedd yr Arlywydd bryd hynny. Pam bod nhw'n fodlon i'r ymladd ofnadw' gario mla'n yn Croatia? Oherwydd ma' nhw ofn ypseto'r Rwsiaid. A ma' nhw *still* yn siarad am fod yn foesol a phethe fel yna. Ond mae'n fwy na hynny, wy'n credu. Ma' America yn dinistrio diwylliannau eraill. Chi'n gwybod, odyn ni rîli eisie gweld McDonald's yn agor yn Tseina – wel mae un wedi! *For God's sake – that's what Amercia's got to offer* gwlad mor ddiwylliedig â Tseina – hamburger siop! Yn *Red Square*, Moscow reit, mae un *McChicken Burger* yn costio cyflog wythnos i weithiwr cyffredin yn ôl eu safonau nhw. Mae hwnna'n hollol obsîn, wy'n credu. Gwneud i bobl gyffredin fod *in awe* o America oherwydd *chicken McBurger*. *Get a life!* A Fietnam! Onest, mae beth gwnaeth yr Americanwyr yn Fietnam cynddrwg â beth gwnaeth Hitler yn yr ail ryfel byd.

HOLWR Mae hwnna'n honiad ofnadwy o ddifrifol, Andrew.

ELINS Wel olreit, falle fi'n tipyn bach yn emosiynol a dŷn nhw ddim wedi creu rhyfel byd na lladd chwech miliwn o Iddewon, ond mae dylanwad yn gallu bod yr un mor ddinistriol.

HOLWR Wyt ti'n gwylio *Friends* ar y teledu, Andrew?

ELINS Nagw. Wy'n ffindo hiwmor fel yna yn hollol ffals.

HOLWR Wedyn, dwyt ti ddim yn edrych ar gynnyrch ffilmiau Hollywood na dim byd felly.

ELINS Wy'n trio peidio, mae'n rhaid i fi ddweud. Mae'n well gyda fi ffilmiau gyda is-deitlau o Ewrop. Wy' eisiau deall mwy am y cyfandir wy'n byw arno fe gyntaf.

HOLWR Wyt ti'n credu ei di allan i ymweld ag America byth?

ELINS Amheus. Falle. Pan fi'n naw deg!

HOLWR O'r gore, symudwn ni mlaen. Hoffen i ofyn i ti, Andrew, beth yw dy atgof mwyaf hapus am yr ysgol hyd yn hyn?

ELINS Chwerthin.

HOLWR Am beth?

ELINS O na, chwerthin yn gyffredinol wy'n meddwl. Os oes diwrnod yn mynd heibio a ni ddim wedi cael laff yn yr ysgol dros rywbeth, wy'n credu bod hwnna'n ddiwrnod cach. Ni jyst gorfod chwerthin. Leic reit, o'dd Dymps wedi cael y peth 'ma mewn iddi ben e 'i fod e eisie bod yn gwc? Chi'n gwbod, Dymps ddy bin yn troi'n Dymps y cwc. Wel, snîcodd e bant un diwrnod i'r ystafell technoleg bwyd, a thrio gwneud cîsh o ryw fath, a dath Raz heibio, gweld y cîsh pan o'dd e wedi troi cefn a bwyta hanner fe a mynd mas! Onest tŵ God, o'dd pawb yn wherthin trwy'r prynhawn a do'dd dim cliw gyda fe! "Bois, hwn yn seriws iawn. Ma' lladron yn ysgol yma yn nico bwyd." Ma' Raz gallu bod yn ddrwg hefyd. Tro arall wedyn, ni fod i glirio stordy yr adran gerddoriaeth allan, ei mîn, chi'n gwybod, wy'n ame withe beth ma' athrawon yn cadw mewn stordai. Do'dd neb wedi bod yn hwn am ddeng mlynedd *at least*. Dymps yn mynd mewn a drwm yn y gornel, tripo dros stand cerddoriaeth a bennu lan gyda'i ben trwy'r drwm. Cariwso ddim yn ddyn hapus, fi'n dweud i chi nawr. O'dd e ddim wedi gofyn eto!

HOLWR Wyt ti wedi trio cyffuriau erioed, Andrew?

ELINS Dim ffordd.

HOLWR Ar wahân i alcohol?

ELINS Ar wahân i alcohol, ond dwy' ddim yn credu bod hynny'n deg, cymharu'r ddau.

HOLWR Pam?

ELINS Tasai'r llywodraeth yn gwneud cyffuriau'n gyfreithlon, bydden ni'n gallu ateb yn deg rhwng y ddau. Fel mae pethau nawr, mae cyffuriau'n cael eu demoneiso. Ni bob amser, oherwydd control y *media*, yn clywed am rywun ifanc yn marw oherwydd ma' nhw wedi cymryd *E*. Ond dŷn ni byth yn clywed faint o bobl sy'n marw mewn wythnos oherwydd eu bod nhw'n alcoholics hir-dymor. Beth wy'n trio dweud yw, sut galla i wneud cymhariaeth deg, os fi methu cael y cyfle cyfreithiol i brofi popeth.

HOLWR Tase cyffuriau'n gyfreithlon byddet ti'n eu trio nhw?

ELINS Wel falle, mae'n rhaid cyfaddef. Ond y broblem wedyn yw bydde rhywbeth yn dod yn lle cyffuriau i demtio rhywun bydde fe? 'Na'r holl bwynt. O'dd alcohol yn cael ei wrthod unwaith nagodd e, nes oeddech chi'n ddau ddeg un. *Still* yn yn America – enghraifft o *double standards* eto – gallu ymladd yn Fietnam yn un deg wyth a methu yfed alcohol! Ond y pwynt wy'n neud yw, ma' beth sy'n dderbyniol yn newid drwy'r amser, nagyw e? O'dd Sherlock Holmes a'r Fictorians yn cymryd heroin fel opiwm! Ond na, dwi ddim mewn i gyffuriau. Ond fi methu dweud llaw ar fy nghalon fydda i ddim yn trio rhywbeth rywbryd yn y dyfodol.

HOLWR A beth wyt ti eisiau i'r dyfodol, Andrew?

ELINS Coleg a phethe?

HOLWR Os wyt ti'n gweld dy ddyfodol yn y termau hynny – ie.

ELINS Hoffwn i, rhaid i fi ddweud. Rwy'n gwybod byddai hynny yn gwneud fy rieni yn hapus. Ond nid achos hynny y bydden i'n mynd. Wy'n credu wy' eisie dianc oddi wrth y cwm yma am gyfnod jyst i edrych arno fe o bellter a phenderfynu ble wy'n perthyn.

HOLWR Wyt ti'n ffeindio'r lle yn dy gau di mewn?

ELINS Na. Nid hynny egsactli. Rwy'n teimlo'n ddigoel yma. Ond rwy'n gwybod hefyd bod byd gwahanol tu allan i ffiniau'r mynyddoedd hyn ac rwy eisiau profi a gweld sut beth yw hwnna. Wedyn os nagw i'n lico hwnna, wy'n credu bydden i'n lico dod nôl yma.

HOLWR A phriodi?

ELINS Wel dwy' ddim yn siŵr am briodas fel rhywbeth sy'n mynd

YN Y LLUN HWN, RWY'N TRIO DAL CNEC MEWN

i bara. Pam ydyn ni angen darn o bapur i ddweud wrth rywun ein bod ni'n eu caru nhw?

HOLWR Wyt ti'n gallu edrych ymlaen mor bell â phlant?

ELINS Mae'n bosib. Ond pŵar dabs yn gorfod cael gwallt coch! Na fi ddim yn meddwl 'yna o gwbwl. Bydden i'n eu gwneud nhw'n browd o gael gwallt coch.

HOLWR Mae dy flwyddyn di ar fin mynd i Ddawns y Chweched Dosbarth, Andrew. Wyt ti'n mynd?

ELINS Ydw.

HOLWR Wyt ti'n edrych ymlaen at y profiad?

ELINS Wel ydw a nac ydw. Mae'n rhan o draddodiad yr ysgol erbyn hyn ond wy'n teimlo weithiau ein bod ni'n gwneud pethau dim ond oherwydd mae disgwyl i ni. Chi'n gwybod, mae'r bechgyn i gyd wedi llogi siwtiau du a dici bows a phethe ac mae hwnna i gyd yn eithaf drud.

HOLWR Mae'r gost yn broblem?

ELINS Ddim fel y cyfryw. Mae'n rhaid i chi safio lan am bethe chi wir eisiau. Chi methu cael popeth ar blât, ydych chi?

HOLWR Wyt ti'n credu y gwnei di fwynhau pan gyrhaeddi di?

ELINS Gyda chwpwl o ddricaniaid tu mewn i fi, falle wna i lwyddo i dynnu fy mhen i lawr o fy mhen-ôl am gwpwl o orie.

HOLWR Diolch yn fawr i ti am siarad gyda fi, Andrew.

ELINS Bu'n bleser.

Pegi, I'm feelin' randy!
Forget it, you've got a ceilin' to paint
Dad, you embarass me all the time gone! Act your age!
No mab, I will not act my age 'cos I would be like a ferrett on virago!!

y teulu

HOLWR Enw?

DERYCK Deryck Davies.

HOLWR I can ask in English, Mr Davies.

DERYCK No. Anything I can't understand, the wife will tell me.

PEGI The wife has got a name, Deryck.

DERYCK Ie ie, cariad.

SÊRA And the wife's daughter 'as.

MURIEL And the wife's mother in law 'as.

DERYCK As you can see, comrade, I am in good company.

MURIEL Chi moyn gwpod y'n enw i.

HOLWR Os gwelwch yn dda.

DERYCK 'Bane of my life' is your middle one, init Muriel?

MURIEL And 'get out from under my feet' is yours, init?

PEGI Nawr dewch mlên, Mam, ma'r dyn bonheddig 'ma yn ddoctor. Ma' fe'n fishi.

MURIEL Otych chi, bach? Wel shgwlwch, ma'n *gall stones* i'n whare'r bêr 'da fi. Sdim chans …

DERYCK Not that kind of doctor, Muriel – e's a Ph.D. Doctor of Philosophy.

MURIEL Which part of the body is that?

DERYCK You'll have to excuse 'er pal, it's an inherent weakness. We just hope we 'aven't passed it on to the kids!

MURIEL I tell you what, Deryck, I know what I'd like to pass on to you – a slap in the kisser.

SÊRA Chi'n gorfod esgusodi teulu ni – ni gyd *little bit mad*.

PEGI Nêgyn ddim! Ma'n tylwth ni gyd yn itha cêll! Jyst Mam a Deryck sy'n gallu tynnu ar ei gilydd.

HOLWR Yr hyn sydd o ddiddordeb mawr i fi yw dwyieithrwydd y teulu a'r ffaith eich bod chi'n siarad Cymraeg drwy'r amser, hyd yn oed o flaen Deryck.

DERYCK Why is that a cause for interest?

HOLWR Well, it doesn't seem to be a normal pattern in Wales.

DERYCK Well the rest of Wales is wrong, in' they, Muriel?

MURIEL We agree. Peg cer i nôl y Beibil.

DERYCK Don't go that far! I am still an unreconstructed aetheist!

Deryck! Tea's ready!

MURIEL Otych chi'n trio gweud bod e'n rong i wilia Cwmrêg 'da 'nheulu achos bod Deryck ddim yn deall popeth?

HOLWR Na, ddim o gwbl. Dwy' ddim yn credu mai mater o fod yn iawn neu'n anghywir yw e. Mater o agwedd.

PEGI Be sy'n rhaid i chi gofio yw, pan briotodd fi a Deryck, gwetas i wrtho fe ar y pryd …

MURIEL A fi.

SÊRA A fi!

DERYCK Sêra, you wan even a twinkle's twinkle then!

SÊRA Say, you don' know, Dad. I might be an extra terrestrial from the planet Zlob.

DERYCK Peg, we got to do something about your mother!

PEGI Ond y pwynt yw, gwetas i wrtho fe, pan gelen i blant taw Cwmrêg bydden i'n wilia yn tŷ. A whare teg, fel 'na mae wedi bod.

DERYCK See, byti, what you got to realise is that I'm Welsh too!

HOLWR I don't think anybody would doubt that, Mr Davies.

MURIEL Allech chi alw Deryck arno fe.

DERYCK Thank you, Muriel. And what you and others like you don't realise p'raps is that my mother and father could speak Welsh but they didn't pass it on to me.

HOLWR Has that affected you in anyway, Deryck?

DERYCK Heisht, Muriel, I can answer for myself. Yes it has. It has made me angry sometimes.

MURIEL That's honest of you.

DERYCK Angry that I wasn't passed on something of infinite treasure and beauty.

MURIEL Peg, ffona'r doctor.

DERYCK You may mock, Muriel, but when I lose a bit of what's being said it's like a knife. Not because you are talkin' it – damn no, pride that is – but because I can't.

HOLWR So I must ask the question, Deryck, why haven't you learnt it?

PEGI There we are, Deryck, I have said and said, but no!

MURIEL Wel wy' wedi gweud erio'd Peg, do's 'da Deryck ddim pewc at iaith, o's e?

SÊRA Yes come on, Dad, tell us.

DERYCK It's a very difficult subject, Sêra. You know I've tried.

MURIEL And always are trying!

DERYCK I've started so many Welsh courses I think I've been on *lefel un dysgwyr* longer than that flamin' gog crow called Wcw! But somehow I always feel safe when I'm in the house, because I can 'ear you buggers speakin' it.

PEGI Language, Deryck!

DERYCK And because I know you'll always be around me.

MURIEL I won't, Deryck!

DERYCK Make sure the insurance policy's paid 'fore you go, Mam-gu. I can't keep this mortgage up myself!

PEGI Is that any way to speak about my mother!

DERYCK I can't put it any plainer than this. I feel the need, but I don't think I've got the ability to be as fluent as my kids. And I am willin' with that as long as my kids and the wife and Mam-gu are willin' with it.

HOLWR That's a comprehensive reply, Deryck. Odych chi'n credu bod hwnna'n rhesymol, Mrs Davies?

PEGI Oty. Whare teg i Deryck, ma' fe'n dêd dê, ma fe'n ŵr dê …

MURIEL A mab yng nghwfreth weddol!

Brawo? Ble mae fy mrawd?

I'm on my holidays and I don't care what nobody says!

PEGI A wy'n itha hapus 'i fod e'n gatel llonydd i ni wilia fel ni'n dewish.

HOLWR Do'ch chi, Mrs Davies, ddim yn hapus iawn y llynedd pan weithredodd Rhys dros Gymdeithas yr Iaith.

DERYCK I think I'll go and make a cup of tea nawr, *bobl*.

PEGI Stay where you are! Nêgon. Pam chi'n gofyn?

HOLWR Mae'n ymddangos yn rhyfedd eich bod chi'n cefnogi'r iaith mor llwyr yn eich cartref, ond yn anhapus bod eich plant yn gwneud yr un peth yn boliticaidd.

MURIEL Jiw 'na ddwfwn. Otych chi'n sgolar, bêch?

PEGI Alla'i apad 'na i chi mewn whincad. Wy'n cretu mewn trefen. Torrws Rhys ni y drefen. Wy'n deall pam nêth e 'na nawr, ond pitwch â gofyn i fi gytuno 'da fe, achos alla i ddim.

SÊRA Mam tipyn bach yn *scaredy poop pants*, wyt ti, Mam?

PEGI Sêra!

MURIEL Get that kettle on, Deryck!

HOLWR Beth yn union wyt ti'n meddwl, Sêra?

SÊRA Ddim yn gas na dim byd. Ond dere mla'n Mam, ti'n hoffi mynd i'r capel a phethe a chadw at y rheole.

PEGI A beth sy'n bod ar hwnna, Sêra?

SÊRA Ond mae'n gallu bod yn *boring*, on'd yw e?

MURIEL Neis i weld plentyn yn cymryd ar ôl ei gu ddi.

HOLWR Ydych chi'n berson anghonfensiynol, Mrs Cooper?

MURIEL Gofynnwch hwnna miwn Cwmrêg bydda i'n deall a walla atepa i chi!

HOLWR Odych chi'n lico mynd yn erbyn y drefen?

MURIEL Otw i, bach. Dwlu arno fe. Wedi erio'd! A wy'n cretu wy'n mynd yn wêth fel wy'n mynd yn hŷn.

DERYCK God help us when you're eighty then, Muriel.

MURIEL The best is yet to come, bachan! Weta i wrthoch chi ble dechruws hwnna, pan o'n i'n *fifteen*!

HOLWR Canol y tridegau.

MURIEL A chi'n gallu neud maths! Jiw 'na beth mawr, neci fe?

HOLWR Odych chi'n gallu priodoli'r teimlad i rywbeth arbennig digwyddodd?

MURIEL Cwmrêg!

HOLWR Beth yn gwmws ddigwyddodd?

MURIEL Cêl y'n hala i Eton, y colej mawr Sisneg posh yffyrnol 'na yn Lloegr yn bymtheg o'd, 'na beth dicwyddws! A chêl 'y nghorfoti i weini ar y blydi *Lords* ...

PEGI Mam – iaith!

MURIEL ... a'r *Viscounts* nagon nhw'n ddicon hen i newid eu cewynne jyst â bod.

HOLWR Gethoch chi'ch danfon 'na o Gymru.

MURIEL Do. Peg, cer i ôl y'n dablets *blood pressure* i nawr achos os weta i'r cwbwl, bydd ishe dou arno i. Shgwlwch 'ma, pwy ddewis o'dd gyta'n fam? Yh? Saith ohonon ni ar yr ilwd gatre, dim gwaith, y pwlle wedi cuad achos y blydi streic 'na yn *nineteen twenty six* a dim bwyd ar y ford. O'dd y'n dêd yn catw llysie ar y ford. Ond cig? Pitwch â wilia. Ceso i'n hala yn bymtheg o'd – dim lot o Sisneg gyta fi, ta p'un – i rwla o'dd yn wherthin ar y'n penne ni achos y ffordd o'n i'n wilia! Llefen! Shglwch 'ma. Nace hireth o'dd arna i. O'n i'n tacu bob nos yn 'y ngwely a gorffod cwnnu am whech i ddoti tên yng ngrêt Lord Manfield – galla i weld e nawr, crwt bêch un ar ddeg yn gwishgo'i dop hat a finne'n groten pymtheg o'd yn gorffod cyrtsio iddo fe bob tro dele fe miwn i'r rŵm.

DERYCK You wouldn't curtsey now, Muriel!

MURIEL Only to get low enough to chop their bloody legs off. Gweini ar y ford iddyn nhw bob pryd bwyd a nhw'n wherthin arno i achos do'n i ddim yn deall beth o'n nhw'n gweud a do'n nhw ddim yn deall dim arno i. Tri mish dioddefas i 'na. Tri mish o uffern.

SÊRA Beth ddigwyddodd wety'ny Gu?

MURIEL Ffindws Mam mês 'mod i'n torri 'nghalon a dêth hi lan ar y traen i'n nôl i. Doti ei motrwy priotas yn y *pawn shop* i gêl yr arian. O'dd natur 'da Mam. Wy'n ei chofio ddi nawr yn mynd at y Bursar – fe o'dd y bachan o'dd yn y'n cyfloci, chwel, a do'dd Sisneg Mam ddim yn sbeshial a gwetws hi wrtho fe, "If you wanted a bloody *ceffyl gwaith* you should have gone to the hauliers." Wy' ddim yn cretu deallws e "ceffyl".

DERYCK But he got the jist of it.

MURIEL You could say that, Deryck! A sha thre detho i.

HOLWR Ac ers hynny rŷch chi'n casáu Saeson?

DERYCK There's an 'ell of an accusation, Muriel.

MURIEL Pwy gwetws shwd beth?

HOLWR Fi oedd yn gofyn.

MURIEL Wel byddech chi'n gofyn yn rong. I ddechre arni, smo fi'n napod lot o Sison. Ond ma'r rhai wy' wedi cwrddyd yn itha neis. Beth wy' ffili godda yw'r blydi system sy'n rhoi hawl i ddinon gretu 'u bod nhw'n well na'u cymrotyr achos bod arian a modd 'da nhw. 'Sda hwnna ddim byd i neud â lico ne bido lico Sison. Ma' dinon sy ddim yn gallu godde'r Cymry.

DERYCK But they wouldn't have the guts to say that to my face like!

HOLWR Ac ife dyna yw gwraidd eich awydd chi i fod yn rhywun sy'n gwrthwynebu'r drefn?

Fi yw hwn wyneb i waered.

My wife, the sex kitten – is it any wonder she gets me goin?

Fi yw chwaer Rhys, a fi'n 'ard, ac mae unrhyw un sy'n meso gyda fi'n mynd i gael amser caled! Ydy fe!

Don't talk so dulk Pegi, I can't help it if my piles are itching can I? Wales for ever!!

MURIEL Neci awydd yw a. Angen. O'dd 'y ngŵr i ...

PEGI 'Y nhêd i ...

SÊRA 'Y nhacu i ...

DERYCK ... and my father in law ...

MURIEL ... yn arweinydd y gyfrinfa ym mhwll y Maerdy. Arweinydd dê. Dicon o asgwrn cefen 'da fe. Gormodd withe! Ond gallse fe wedi mynd mlên 'da'i addysg se fe wedi cêl y cyfle. Ond sdim ots am 'ny nawr. O'dd dyddie dê i gêl *post ninteen forty seven* pan ges y pwlle 'u nationaliso ... beth yw hwnna yn Gwmrêg posh?

Un o'n proudest moments i – codi dou fys ar statiw Churchill yn Llunden, yr hen gythrel diawl shwd ag odde, yn blingo'r gwithwyr – bishen i ddim arno fe se fe ar dîn
Mam!
Sori Pegi!

HOLWR Gwladoli.

DERYCK That means country don' it?

HOLWR As a verb it means nationalise.

DERYCK Thank you, Bamber Gascoine.

SÊRA Who's 'e, Dad?

DERYCK Nobody, Sê. Somebody on tele who used to make me feel *twp*!

MURIEL O'dd y dyddie cynnar 'na'n ddyddie dê, chi'n deall. Y dinon o'dd pia'r pwll neci'r perchnogion. O yffarn! Diawl erio'd, o'dd y manijers o'dd wedi dod yn lle'r perchnogion yn wêth yn 'u *outlook* na'r *Lords* o'dd bia'r pwlle cyn 'ny! O'n nhw'n trin y gwithwyr fel 'sen nhw'n faw! A dim ond wedi cwnnu o'r gwithwyr o'n nhw 'u hunen!

DERYCK I 'ave always said, Muriel, there is no traitor worse than a traitor of the working class.

MURIEL And once again you and I will agree!

DERYCK Hell, hell, hell! I'd better do the lottery this week, my luck is in.

MURIEL A chi'n gweld o'dd Maerdy yn *hot bed* o gomiwnyddieth, i chi ga'l deall. Do'dd y gwithwyr man 'na ddim yn mynd i gymryd y cachu ...

PEGI Mam, pitwch rhecu fel 'na o flên Sêra.

MURIEL Sori, Sêra

SÊRA Mae'n cŵl, Gu!

MURIEL Ond o'dd 'y 'ngŵr i 'na yn trio wilia sens 'da'r manijers a chatw'r gwithwyr yn streit. Shgwlch 'ma, nyddws e fe.

SÊRA Beth yw nyddo, Gu? Sa i wedi clywed y gair 'na o'r blên.

MURIEL Knackered!

DERYCK Is it? I like that. Say it again Muriel.

MURIEL Nyddo. *Worn out*. *Knackered*. Ond o'dd e'n mynd i roi lan? Nêgodd. A wetyn'ny o'dd y streics a'r *lock outs*. Pitwch â wilia. A thrw'r cwbwl yn gafel yn 'i ffydd e yn y gwithwyr. O's rhyfadd 'mod i'n gwrthwynepu'r drefen. A wetyn'ny, pythownos cyn iddo fe riteiro – glatsh, carreg yn cwmpo arno fe a'i dwcyd e wrtha i.

DERYCK You allright, Muriel?

MURIEL Yes. Get me a hanky will you.

SÊRA Pidwch llefen, Gu.

PEGI Nê, Mam, ne dechrua i. Fydde Dad ddim moyn i ni lefen nawr.

MURIEL Nê, llefes i'n siêr pryd 'ny. Llefen a llefen. 'Na greulondeb i chi ontife? Gwitho drwy'i o's fel donci, dishgwl mlên i gêl sbel fach a charreg …

DERYCK That was a 'ard time, Muriel.

MURIEL Terrible 'ard. I nearly lost my faith then, you know.

DERYCK Aye.

MURIEL Etho i ddim i'r capel am ddwy flynedd.

HOLWR Beth aeth â chi nôl?

MURIEL Rhys yn cêl 'i eni. Ti'n cofio, Peg. I came into your bedroom … remember, Deryck? And you were just finishin' heavin' in the corner in a bucket …

DERYCK Well fair play, Muriel, it was a long labour for 'er.

MURIEL And I citshd in Rhys in my arms and I started to cry.

PEGI 'Na ddicon nawr, Mam.

MURIEL A chi'n gwpod beth? O'dd e fel 'se Duw wedi gwenu arno i. Wy' ddim yn bod yn sentimental nawr. Ond o'dd dishgwl ar Rhys man 'na fel 'sen i'n gweld dy dêd 'to, Peg. O'dd e fel 'se fe wedi dod nôl aton ni.

DERYCK And I thought Rhys looked like me.

MURIEL Don't give a child a cross like that to carry through 'is life, Deryck.

DERYCK There 'war, makin' small of me again.

HOLWR Where did you get your political beliefs, Deryck?

DERYCK Haven't got any, pal.

PEGI O don't talk so soft, Deryck! But you're not to talk about the sixties and Wales.

HOLWR Ga i ofyn pam?

PEGI Ma' rhanne o fywyd y'n teulu ni yn breifat a dŷn ni ddim yn mofyn 'u rhannu nhw 'da neb. Do we, Deryck?

DERYCK If you say so, Peg.

MURIEL Nice to see a man knowin' who's the boss.

DERYCK Thank you, Muriel.

HOLWR Your political beliefs, Mr Davies?

DERYCK I'm a socialist. Used to be a Marxist. I'm not ashamed of that, mind. Some peole think it's a dirty word now, but I don't.

HOLWR Why have your views ameliorated?

DERYCK Yh? What the 'ell did 'e say now, Muriel?

MURIEL Don't look at me, *bachan*. My English isn't that good.

HOLWR I'm sorry. Why have your views got softer?

DERYCK Good question, hard to answer. Well let me ask you a question now then. Because the chapels are getting emptier, does it mean that Christianity is less important?

HOLWR Well it depends on your faith, but I would say – no. The principle is the same.

DERYCK Snap, *byti bach*! All I know now is that I want that Assembly in Cardiff to reflect the true nature of the Welsh people. And at heart we are a socialist people who love our country. We love it so much we will even let Conservatives sit in the Assembly.

MURIEL Did you have to spit on my shoe now?

DERYCK Muriel, I can't even say that word without my throat tightenin'.

PEGI Like my hands will tighten round your neck if you spit like that again! Filth!

SÊRA Why don't you like the Conservatives, Dad?

DERYCK Because they are the scum of the earth, Sêra.

HOLWR That's a very extreme viewpoint, Deryck.

DERYCK To you perhaps, *bachan*. Seems very normal to me.

MURIEL Gwrandwch 'ma, grwt. Dŷch chi ddim yn cofio Tonypandy *nineteen eleven*, otych chi?

HOLWR Nagw.

MURIEL Nê fi, ond wy'n gwpod amdano fe. Churchill yn hala'r trŵps miwn i ddoti'r gwithwyr lawr. Dinon yn starfo, a'r bastard 'na …

PEGI Mam, nawr stopwch hi!

MURIEL Peg, wy'n gorffod gweud be sy ar y'n feddwl i! Ma' fe fel gwenwn! O wy'n gwpod bod dinon yn cretu nêth e *wonders* yn y rhyfel gyda'i siarad mawr a'i bregethu. Ond grandwch chi arno i bach, sneb ffor hyn yn 'i barchu fe.

DERYCK I think not respectin' is a little bit too kind, Muriel. We have got long memories.

SÊRA So, Dad, what would you do if I went out with a Conservative one day?

MURIEL Do you want me to get the smelling salts, Deryck?

DERYCK Sêra, you wouldn't do that to us?

SÊRA Well what do they look like – these Conservatives?

PEGI She's got us.

DERYCK Well they look like people.

SÊRA Like us?

DERYCK Yes. No. They're snobby.

SÊRA Like Leanne Fish's mother who lives in Trealaw – she's snobby. We got to take our shoes off in the passage before we can go into their lounge.

DERYCK Somethin' like that, Sêra.

MURIEL *Stop givin' your child false impressions, Deryck.* Nê, Sêra, neci 'na yw e.

SÊRA Simo fi'n deall, Gu. Chi'n neis abythdi pawb fel arfedd, ond sdim gair da gyda chi weud abythdi'r Conservatives 'ma.

DERYCK You'll understand when you're older, Sêra.

SÊRA Dy, Dad, myn. You don't know how much that gets on my nerves. I don't want to know when I'm older, I want to know now!

HOLWR Sêra, byddet ti'n dweud bod dy fam-gu wedi dylanwadu arnot ti?

MURIEL Wy'n gobitho 'ny!

SÊRA Sut chi'n meddwl?

HOLWR Wel, wyt ti'n mynd i'r capel, er enghraifft?

SÊRA Ydw. Ond dim ond achos bod Gu a Mam yn gofyn i fi fynd.

PEGI Simo ti lico mynd 'te?

SÊRA O Mam, ma' fe'n gallu bod yn *boring* ti'n gwybod a fi wedi dysgu gymaint o adnodau wy'n gwybod y Beibl i gyd ar 'y nghof i nawr!

HOLWR Ti'n credu byddi di'n stopio mynd rywbryd, Sêra?

DERYCK Well there's a terrible idea to put into a young child's mind.

MURIEL What the hell's wrong with you again? You don't even go! You don't believe!

DERYCK Well I'm not saying, but there's hope for Sêra, 'n there.

MURIEL I worry about you, Deryck, I really do.

PEGI Ti'n mynd i stopo fynd 'te, Sêra?

SÊRA Wel falle. Ond fi'n meddwl am y peth gynta.

MURIEL 'Na ferch ddê. Cêl *think bach* gynta a wetyn neud, neci fa?

HOLWR Would you be disappointed, Mr Davies, if Sêra stopped going to chapel?

DERYCK Look 'ere, *bachan*, I've learnt to accept that in this house I am merely a bystander when it comes to the will of these women.

MURIEL And it's taken Peg nearly twenty years to get that confession out of you!

HOLWR Ydych chi wedi byw rhywle arall heblaw am y cwm, Mrs Cooper?

MURIEL Ar w'ên i'r sbel fach 'na yn Eton?

HOLWR Ie.

MURIEL Nêgw.

HOLWR Ac ydw i'n iawn i gredu mai dim ond yn y cwm 'ma byddwch chi'n byw nawr?

MURIEL Bach, yr unig ffordd gewn nhw fi mês o'r cwm 'ma yw mewn bocs! Born in this valley, going to stay in this valley till I die … Ac yn falch o 'ny.

HOLWR Ife dyna beth fyddech chi'n dymuno i'ch plant, Pegi?

PEGI Beth chi'n feddwl?

HOLWR Wel, a fyddech chi'n lico iddyn nhw ddod nôl yma i fyw os â nhw i goleg?

PEGI Wel, bydd y plant gorffod neud beth ma' nhw'n dewish. Ni ffili dictêto iddyn nhw. *Can we, Deryck?*

DERYCK Course not. They have got a free will. But I will say this.

MURIEL I thought it was too good to be true.

DERYCK It would give me immense pleasure and satisfaction if my kids would come back to this valley to live and settle once they have seen a bit of the world. I would love to bring up my grandchildren.

SÊRA I'm not havin' kids, Dad!

DERYCK Well we'll have to depend on your brother then.

SÊRA Least e's gerrin plenty of practice.

PEGI Deryck! Stop 'er. Sêra, *paid â wilia fel 'na am dy frawd!*

SÊRA O, Mam myn, jôc nady fe?! Fi'n weindo chi lan. Do you really want us to have children then, Dad?

DERYCK Like I say, Sêra, I can't tell you how to live your lives. It's up to you. But if, in the fullness of time, you or Rhys decided that you wanted to have children …

PEGI You seem to have forgotten something by there, Deryck Davies.

DERYCK What?

PEGI What about the marryin' part of having children?

y'n teulu ni, y'n fab i, y'n ferch i, y'n fam i - a fe, Deryck y gŵr.
That's a nice way to speak about your husband
But see Deryck, that exactly how your mother in law feels too!
Pam Fi Duw?

DERYCK O we don't know if that will still be important in years to come, Peg.

PEGI It'll be important to me.

MURIEL Peg! Shgwl 'ma, cy'd â bod y ddou 'ma'n hapus, sdim ots os ŷn nhw'n byw tali ne grôs y blanced, dan y blanced nê dan y gwely.

PEGI Wy'n gwpod 'ny Mam, ond os o's plant yn *involved* ma' nhw'n gorffod cêl cwnnad dê.

DERYCK And that's what I'm sayin', Peg. If they were to be livin' in this 'ere valley next to us, we could give our grandchildren a good 'cwnnad'. I could teach them about Welsh history.

PEGI Not the sixties!

DERYCK Allright, Peg, not the sixties. But I can't imagine anything better in my twilight years than sitting on the front with my grandchildren …

MURIEL Sêra, cer i estyn y'n feiolin a'n gannwll i o'r cwtsh dan stêr, wnei di. *Stop talkin' so sentimental, Deryck.*

DERYCK Well don't say you wouldn't like a great grandchild.

MURIEL Good God, I'll be dead and buried by the time Rhys gets round to it.

PEGI Nawr, Mam, pitwch wilia fel 'na.

MURIEL Wel, os nê shapiff e i gêl un cyn 'i fod e'n twenty five! A simo fi'n erfyn iddo fe glwmu 'i hunan lawr jyst i gêl y *four generations* ffoto 'na.

HOLWR Looking back over this last year in particular, Mr Davies, what would you say were the high points for the family?

DERYCK Gu havin' one of her insurance policies out!

MURIEL You cheeky bugger!

PEGI Mam! Iaith!

DERYCK Well come on, Muriel, I don't know how much that cheque was for, but I know Bill post was off work for a week because of his back after deliverin' it!

MURIEL Never you mind how much it was for. It will go to a good end.

SÊRA O's lôds o arian 'da chi, Gu?

MURIEL Nêgos, bach, ond bydd dicon 'da ti a Rhys.

SÊRA Cŵl.

HOLWR And the high points, Mr Davies.

DERYCK Well I don't know. You'd better ask Pegi.

PEGI Wel simo fi'n siŵr. O'dd Rhys yn paso'i egsams gystal â nêth a'n rhwpath neis i gofio, nego'dd e, Mam?

MURIEL Marflys. Os basiff e'r *A Levels* gystal, fy nghwpan fydd llawn.

SÊRA What will you be like when I try GCSE's, Dad?

DERYCK Don't talk.

PEGI Beth arall dicwyddws o'dd yn neis?

DERYCK Muriel gettin' together with Clive.

MURIEL Deryck – you are on very dangerous ground by there. We are simply good friends.

DERYCK Yes, Mam-gu. We know. Does Clive?

PEGI Deryck! Ni'n dishgwl mlên at y syrpreis parti iddo fe, negyn ni, Mam?

MURIEL Wel faint o syrpreis fydd e os ŷt ti'n gweud wrth ddynon diarth?

HOLWR Mae popeth sy'n cael ei ddweud rhyngom ni'n gyfrinachol, Mrs Cooper.

MURIEL Jiw' na neis. Wel otyn, ni yn cêl syrpreis parti bach i Clive. Ma' 'i ben-blwydd e chwel a ma' fe wedi dechre dysgu Cwmrêg a ma' fe'n neis i rywun yn y'n oetran i i gêl partner, negyw e.

DERYCK I can pop you down to the Family Plannin' in Cardiff if you like, Muriel.

MURIEL Deryck Davies, if you want to see your son after this Ball e's goin to I suggest you shut your trap before I shut it for you!

DERYCK In'it funny how sensitive some people can be when you talk about sex!

MURIEL Pegi!

PEGI Deryck, that's enough – stop windin' Mam up!

DERYCK Jokin', Peg. Jokin'!

PEGI Beth arall?

MURIEL Shgwlwch 'ma, bêch, y peth pwysig yn y teulu 'ma yw y'n bod ni'n stico 'da'n gilydd. Pwy bynnag storom sy'n dod droston ni, simo ni'n cêl y'n shiglo wrth y'n gilydd. Wetyn 'ny, pitwch â gofyn am yr *high points* – yng ngire Dafydd Iwan, 'R'ŷn ni yma o hyd.'

HOLWR Diolch yn fawr i chi am siarad gyda fi.

MURIEL Chi wedi cwpla?

HOLWR Ydw.

MURIEL Reit, Deryck, dishglid o de. *Get that kettle on*. Chi'n lico sbynj, bach? Neth Pegi un biwtiffwl ddo' ond ei bod hi wedi anghofio'r halen.

DERYCK Salt in a sponge? What you talkin' about, Muriel?

SÊRA Teulu ni'n *mad* – chi wedi sylwi?

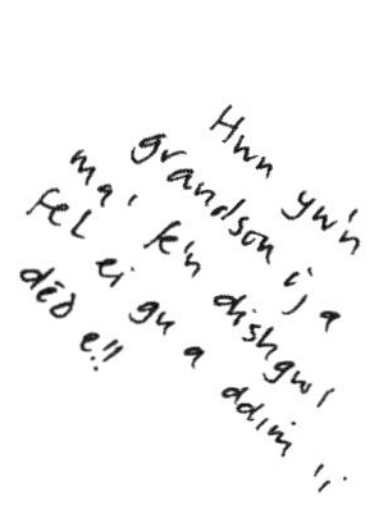

smilin ar blât bwyd fi

FFRINDIAU DA!

mîn diwd llygad

↑ scêrd of mîn diwd llygad!

unrhyw un eisiau shag?

prîsi

HOLWR Enw?

PRÎSI Prîsi.

HOLWR Enw iawn a llawn.

PRÎSI Gavin Robert 'Dong' Price.

HOLWR Oedran?

PRÎSI Un deg saith *but with the experience of eighty!*

HOLWR Dyddiad geni?

PRÎSI Gorffennaf y seithfed.

HOLWR Ac rwyt ti hefyd yn ddisgybl yn Ysgol Gyfun Glynrhedyn?

PRÎSI Cywir. Necst cwestiwn, plîs, byt.

HOLWR Mae'r bechgyn wedi bod yn dweud bod tipyn o enw gyda ti fel merchetwr, Gavin.

PRÎSI "Tipyn"! Wel, hwnna'n *bit* siomedig. Mwy na "tipyn" *I would 'ave hoped!* Ond wy' methu dweud celwydd. Wy'n hoffi *muffin* a *maude*.

HOLWR Dyna'r enw arall arno fe erbyn hyn, ife?

PRÎSI *Well, as Shakespeare said, 'a rose by any other name would be as tasty'.*

HOLWR Dwi ddim yn siŵr os taw dyna union eiriau Shakespeare, ond wy'n credu wy'n dy ddeall di. Ers pryd wyt ti'n ymwybodol o dy fywyd rhywiol, Gavin?

PRÎSI Oi, byti, hwnna'n *bit* personol fel?

HOLWR Does dim rhaid i ti ateb os nad wyt ti'n dewis.

PRÎSI O dim ots 'da fi leic, bois i gyd yn gwybod, a'r merched. Un deg tri.

HOLWR Beth? Cyfathrach lawn?

PRÎSI *If that's the* Cymraeg *for intercourse* – ydy.

HOLWR Ydy pawb yn ymddwyn fel hyn yn dy oedran di, Gavin?

PRÎSI *I bloody 'ope not,* neu bydd dim byd ar ôl i fi! Na, fi ddim yn credu. Er, falle bod y bois bach yn embarasd i ddweud dim byd. Wy' jyst ddim yn hido. Os yw rhywun yn gofyn, *I tell 'em.* Os nagyn nhw'n lico fe, *it's their problem not mine.*

HOLWR Oes rhywun yn y gang ti wedi potshan gyda?

PRÎSI Hei, byti, hwnna'n *dirty*. Ti ddim yn cachu ar stepen drws dy hunan, wyt ti!

HOLWR Ond rwyt ti a Llinos wedi bod yn agos.

PRÎSI *Aye,* wel o'dd hi ar y *re-bound* nago'dd hi, off *the boring git* Rhys. O'dd hi angen ychydig o gysur a sensitifrwydd! A fi o'dd yr un i roi ef i hi! A rhoi un i hi, *like!*

HOLWR Gethoch chi berthynas rywiol.

PRÎSI Do.

HOLWR A does dim ots gyda Llinos dy fod ti wedi dweud hwnna wrtha i?

PRÎSI *If she's ashamed* ohono fe, dyle hi ddim neud ef.

HOLWR Ti'n credu bod hwnna'n wir am bawb?

PRÎSI Yn hollol. Wedi gweld fi'n iawn trwy bywyd fi.

HOLWR Felly, byddet ti'n cefnogi safiad Îfs?

PRÎSI *What's this,* tric cwestiwn, ydy fe? Wel olreit, wna i ateb hwnna. Ydw, wy'n cefnogi beth oedd Îfs wedi gwneud. Fe wedi gwneud dewis i fod yn hoyw, *so live life,* nady fe? *It's not a* dewis *I'd make.*

HOLWR Wyt ti'n credu hynny, mai dewis bod yn hoyw mae pobl?

PRÎSI Fi ddim yn gwybod. Fi ddim yn hoyw, ydy fi?

HOLWR Ife dewis bod yn hetrorywiol gwnest ti?

PRÎSI *That is so stupid,* hwnna'n normal!!

HOLWR Byddet ti'n dweud dy fod ti'n berson rhagfarnllyd, Gavin?

PRÎSI Na, fi ddim yn ffysi. *Every hole's a goal.* Bois yn dweud hwnna!

HOLWR Ife dim ond hetrorywioldeb sy'n 'normal' 'te?

PRÎSI Oi, *what's this?* Fi'n meddwl ni yma i siarad am fi – *not* Îfs. Pawb yn siarad am Îfs – *how brave he is.* Fi wedi cael gytsffwl o hwnna, reit. *'E's made the choice, ger on with it.*

HOLWR Siŵr, ond mae'r rhan fwyaf o bobl yn dweud mai cam naturiol yw 'dewis' Îfs. Dyna sut gafodd ei eni.

PRÎSI *Well I don't believe that.*

HOLWR Ti'n credu yr un ffordd ag Andrew Bechadur 'te?

PRÎSI Oi, paid ti gweud wy'n syco lan i'r athrawon, *'cos I don't!*

HOLWR Ond dyna beth mae Mr Andrew Jenkins yn 'i gredu, mai rhywbeth abnormal yw hoywder.

PRÎSI O, mae hwn yn gwneud pen fi mewn. *Look, I don't know.* Îfs yn fachgen neis iawn, *I get on with him tidy,* o'r gorau. Fi ddim rîli yn hido beth mae'n gwneud gyda tojer fe, *as long as* fe ddim gyda fi. Allwn ni adel e *at that,* plîs? Necst cwestiwn.

HOLWR Pwy yw dy ffrind gorau di yn y grŵp?

PRÎSI Dymps. Ie. Dymps.

HOLWR Pam?

PRÎSI Achos mae'n laff a ti'n gallu trysto fe a mae'n hawdd weindo fe lan. Wthnos diwetha, reit, o'n i wedi confinso fe bod un o *balls* fi'n styc lan y twll yn *groin* fi a hwnna'n meddwl fi'n hanner dyn a hanner menyw – *and he believed me!*

HOLWR Pan wyt ti'n edrych ar dy berthynas di â'r grŵp, ble wyt ti'n sefyll?

PRÎSI Ni'n ffrindiau.

HOLWR Ydych. Ond wyt ti'n arwain y grŵp?

PRÎSI Na. Wel 'sneb yn arwain. Na. Ddat's rong. Ma' pawb yn edrych lan at Rhys a Sharon bêsicali.

HOLWR Dros bwy bleidleisiaist ti fel Prif Swyddog?

PRÎSI Dymps, Llinos, Rhids a Raz.

HOLWR Ma' hwnna'n ddadlennol, smo ti'n meddwl?

PRÎSI Pam? *Got two out of four.* Ddim yn *bad* fel *guess!* A Rhys ddim wedi cael e! Meind you, fi'n rîli siocd bod Llinos ddim. Rhagfarn yw hwnnw achos hi'n fwy galluog na ni i gyd.

HOLWR Ti'n credu 'na?

PRÎSI Mae e'n wir! Hoi, byti, unrhyw un sy'n gallu cael un deg dau A serennog *is not a dope!*

HOLWR Fel Îfs.

PRÎSI Ie, chwarae teg, *'e has got a brain.*

HOLWR Wyt ti a Llinos yn eitem barhaol 'te?

i am still hangin for a shag!

PRÎSI W! Hwnna'n air mawr, 'parhaol'. Rhoi fe fel hyn, ni'n mynd allan am y *forseeable future.* Mae hi wedi dweud bod hi'n dod i'r *Ball* gyda fi.

HOLWR A ma' hwnna'n dy wneud di'n hapus?

PRÎSI Fel dywedais i, *every hole's a goal.*

HOLWR Beth wyt ti'n gobeithio gwneud gyda dy fywyd?

PRÎSI Heddi?

HOLWR Na, yn yr hir-dymor.

PRÎSI W! Trwm! Hwnna'n gwestiwn anodd i rywun fel fi sy ddim yn siŵr beth mae'n gwneud prynhawn yma!

HOLWR Ble wyt ti'n gweld dy hunan mewn deng mlynedd 'te?

PRÎSI O, gofyn fi'r *easy questions* gynta, ife, byt? *How the 'ell am I expected to answer that?*

HOLWR Wyt ti eisiau mynd i'r coleg?

PRÎSI Fi? Coleg? Get rîal, ydy fe?

HOLWR Pam lai?

PRÎSI *There is an absence* o rywbeth o'r enw *grey matter in my 'ead.*

HOLWR Ti'n dilyn cyrsiau Lefel A.

PRÎSI *And that don't mean a bloody thing.* Fel ti'n gwybod yn iawn. Edrych, gad ni fod yn seriws nawr, *is it?* Ma' tons ohonon ni ym mlwyddyn un deg dau yn gwybod *we haven't got a cat's bollocks chance* mewn feis o fynd i'r coleg. Ti'n credu bod Spikey a Dymps a fi'n mynd i baso? Ond fi'n dweud hyn wrthot ti nawr, ma' bod yn ysgol *hell of a sight* gwell na bod ar y stryd neu ar y *training schemes* neu'r *New Start, whatever they call it.*

HOLWR Dwyt ti ddim yn hyderus yn dy allu cynhenid?

PRÎSI *'Cos I aven't got any!*

HOLWR Ond fe basest ti wyth TGAU!

PRÎSI Wel fi ddim yn gwybod sut achos fi ddim wedi gwneud dim gwaith.

HOLWR Dyw hwnna yn ei hunan ddim yn dweud rhywbeth wrthot ti?

PRÎSI Ie, paid neud y loteri byth eto, 'cos fi ddim yn mynd i fod yn lwcus dwywaith yn bywyd fi.

HOLWR Beth yw dy farn di am Sharon, Gavin?

PRÎSI Meddwl bo ni'n siarad am arholiadau fi?

HOLWR Ni wedi symud ymlaen.

PRÎSI O *there we are then. Love 'er. Slapper* fel, ond teip o ferch *I could fall for* os oedd hi'n *tidy* ferch.

HOLWR A dwyt ti ddim yn rhagfarnllyd?

PRÎSI Hoi, byti! *What's that got to do with* rhagfarn? Enw iawn Sharon yw Sharon Slag!! Hi sy'n dweud hwnna, nage fi! *This is the girl who had a miscarriage* pan hi'n un deg pump!

HOLWR Achos bod ei chariad wedi ei phwno hi.

PRÎSI *Blame that on me as well!* Mae e'n ffaith. Hoi, pal, fi'n meddwl y byd o Sharon. Un o'r gang.

HOLWR Ond ddim yn ffrind.

PRÎSI …

HOLWR Gavin?

PRÎSI Na, *I don't think* ei bod hi'n ffrind. Fi ddim wedi meddwl yn galed am y peth o'r blaen. Ond yn realistig, na, dyw hi ddim yn ffrind. Pawb arall yn ffrindiau gyda hi, ond fi ddim. *And I* sbôs, os wy'n gorfod meddwl yn galed iawn am y peth, yr unig berson wy' rîli yn teimlo'n agos ato fe yw Dymps a fi ddim yn siŵr nawr os fi'n galw fe'n ffrind achos ma' Sharon yn dwlu arno fe *as well. Thank you.* Diolch yn fawr iawn, byti, am wneud i fi ame fy hunan. *I was all right* cyn i ti ddod a dechre gofyn cwestiyne i fi.

HOLWR Nid y cwestiwn yw'r drwg, Gavin, yr ateb.

PRÎSI Ie, wel, *I might not* ateb *any more.*

HOLWR Wyt ti ofn wynebu'r gwir?

PRÎSI 'Ofn 'i glywed hwyrach'. Siwan yn dweud hwnna wrth Gwilym Brewys yn Act un o ddrama Saunders Lewis.

HOLWR Ti lico gwaith Saunders Lewis?

PRÎSI O, *I wouldn't go that far!* Jyst ma' Miss yn dysgu Cymraeg i ni *and, I got to admit,* fi ddim yn deall yr *half* a mae'n egsylynt athrawes a phopeth, ond weithie fi'n cael *little flash of inspiration* – wy'n ffeindio rhywbeth sy'n cyffwrdd â fi a'r geiriau 'na oedd Siwan wedi dweud wedi cyffwrdd â fi, 'Nid ofn y gwir ond ofni hwyrach ei glywed. Gellir stablu peth yn y meddwl sy'n wyllt yn y glust'. Ti'n gwybod beth mae hwnna'n meddwl?

HOLWR Ydw.

PRÎSI *Aye*. Wel fel 'na wy'n teimlo abythdi fy hunan. Ddim eisiau clywed ef.

HOLWR Pa ddarnau eraill o lenyddiaeth sydd wedi cyffwrdd â ti?

PRÎSI Tyns. 'Fan hyn gynnau fu'n geni'. Hwnna'n Gerallt Lloyd Owen, siarad am Gymru yn wêco up i'r ffact bod nhw'n genedl eto! *Yes!!!*

HOLWR Wyt ti'n genedlaetholwr, Gavin?

PRÎSI Ydw. Cant y Cant. *All the way.*

HOLWR Ydy dy fam a dy dad?

PRÎSI *Pass*. Ni ddim yn trafod *politics* yn tŷ ni. Dad yn cael *mare* os ni yn, so mae'n well cadw off y sybject.

HOLWR Wyt ti'n credu byddi di'n priodi rhyw ddydd?

PRÎSI O, byt myn, *what's this.? Give Gavin a mare day,* ife? Pam ti'n gofyn cwestiwn mor anodd â hwnna i fi! Fi ddim yn gwybod, ydy fi!

HOLWR Ond wyt ti wedi edrych i'r dyfodol a meddwl licet ti fod yn y sefyllfa yna rywbryd?

PRÎSI Wel *aye,* sbôs. Fi'n gwybod fi eisiau plant rywbryd.

HOLWR Pam?

PRÎSI Beth ti'n meddwl?

HOLWR Pam wyt ti eisiau plant?

PRÎSI Naturiol nady fe? Priodi, cael plant.

HOLWR Oes rhaid i'r ddau beth gyd-fynd?

PRÎSI Wel na, obfiysli. Ond wy' jyst yn gwybod yn fy ngyts y bydda i eisie plant. Pam bod hwnna *so much of a* sioc? Credu fi'n *insensitive git,* ydy fe?

HOLWR Dim o gwbwl. Beth yw dy deimladau di tuag at y cwm lle ti'n byw?

PRÎSI Symud ymlaen eto, ydy fe? Fi'n dwlu arno fe. *I love it.* Fi'n nabod y cwm yma gwell na chefn fy llaw. Reit, gwrando ar hwn nawr, pan o'n i'n tyfu fyny, *this was* ***my*** *valley,* ontife. Fi'n teimlo fel brenin y lle. Lan i'r mynydd ar ôl ysgol i'r den o'dd y bois a fi wedi neud, lawr y coed a'r *caveman's arse* – enw lle oedd hwnna lle oedd crac mewn carreg a *ferns* yn tyfu trwyddo fe a ni gyd yn dweud mai *hairs off arse caveman* oedd yn tyfu trwyddo fe achos o'dd e'n edrych fel *bum.* Lan y cwari wedyn i gael y ffag cynta a champo allan a bwyta sosejus rîli ofnadw o ych a fi yn y ffrympan 'ma oedd yn mankin a hangin ac aros lan trwy'r nos yn *scared shitless* achos ni wedi dweud *ghost stories* wrth gilydd ni a mynd gartre a chysgu am ddau ddiwrnod achos ni mor *knackered*. Lan y tip a chael potsh am y tro cyntaf – hwnna oedd y tro cyntaf oedd merch wedi rhoi tafod hi yn 'ngheg i *and I 'ad an 'ard on like a cucumber, except* fi ddim yn gwybod beth i neud gyda fe dden. Nico cans o *cider* o cwpwrdd Dad a mynd mewn i'r tŷ gwag yn Commercial Street o'dd y drygis yn defnyddio ac esgus bod ni'n *pissed* ar ôl un can. A mynd lan y *by-pass* newydd yn Tonypandy pan o'dd hwnna wedi agor gyda'r ferch yma a cha'l secs am y tro cyntaf. Fi'n gallu dangos yr ecsact spot i ti nawr – *except* mae tarmac drosto fe nawr, leic, ond wy'n gallu cofio popeth am hwnna. Ti byth yn anghofio tro cynta ti, wyt ti? O'dd e'n haf, o'n i'n gwybod bod e'n mynd i ddigwydd achos ti jyst yn gallu teimlo'r *waves* yma o secs neu whant yn dod oddi wrth y person arall ... ag oedd hi'n un deg tri hefyd ... a fi wedi nico un o condoms Dad – achos fi wedi bod yn practiso ar hunan fi am *ages* i wneud yn siŵr fi ddim yn edrych fel div pan e'n digwydd. A *guess what?* O'n i wedi aros gyda'r ferch 'na am ddwy flynedd. Dwy flynedd! *Amazing. Longest commitment* fi erio'd wedi gwneud yn fy mywyd hyd yn hyn. *Young love. Am I boring you* gyda hwn i gyd?

HOLWR Dim o gwbl. Wyt ti'n gallu dychymygu dy hunan yn byw tu allan i'r cwm yma?

PRÎSI Na. *Dear God.* Na. Ond wy'n gwbod os bydda i methu ffeindio gwaith, falle bydd rhaid i hwnna ddigwydd.

HOLWR Pam bod y cwm mor bwysig i ti?

PRÎSI Wy'n byw yma.

HOLWR Ond mae'n amlwg bod y lle yn golygu mwy i ti na jyst rhywle i fyw.

PRÎSI Fi ddim yn gwybod. Fi erioed wedi trio meddwl amdano fe. Mae jyst yn. Ti'n trio dweud fi ddim yn deall hunan fi?

HOLWR Dim o gwbl. Trio dweud ydw i mai dyna'r ffordd efallai i ddeall mwy ar dy hunan – trwy drio deall pam.

PRÎSI Hwnna *little bit heavy,* nady fe?

HOLWR Ti ofn meddwl?

PRÎSI Ydw. I sbôs fi yn. Ond ti ddim fod i ddweud hwnna wrth neb arall.

HOLWR Mae popeth yn y cyfweliad yma'n gyfrinachol.

PRÎSI *That's the peth,* reit, amdana i. Fi wedi *sort of* tyfu i fyw y ddelwedd wy' wedi creu amdana i fy hunan.

HOLWR Wyt ti'n ymwybodol o beth ddywedaist ti nawr?

PRÎSI Sori, mae iaith fi'n *shit.*

HOLWR I'r gwrthwyneb – mae iaith dda iawn gyda ti.

PRÎSI Fi ddim yn meddwl. Fel chi'n gallu gweld. Mae'n anodd ddo, nady fe? Chi eisiau byw beth sydd yn dy galon, ond os ti'n gwneud yna, mae pobl yn ripo'r *piss* allan ohonot ti, neu yn cymryd mantais ohonot ti. So ti'n adeiladu'r wal 'ma o dy gwmpas dy hunan sy'n cadw pawb i ffwrdd a ti'n rheoli unrhyw un sy'n dod yn agos atat ti. So ti bob amser *in control.* Pawb fel yna ydyn nhw? Pawb eisiau bod yn saff.

HOLWR Siŵr o fod. Beth wyt ti'n trio dweud am dy hunan 'te, Gavin?

PRÎSI Ddim yn siŵr rîli. Wy'n gwybod nage fi yw'r person iawn sy'n dangos ei hunan bob dydd. *That isn't me.* Ond fi methu dangos *the real me.*

HOLWR Ond rhyngom ni'n dau, beth wyt ti'n credu yw'r *'real'* ti.

PRÎSI Fi'n teimlo'n ypset nawr.

HOLWR Does dim rhaid i ni fwrw mlaen â'r cyfweliad os nad wyt ti'n dewis.

PRÎSI Na. Fi eisiau. Wel reit, fi'n sensitif. Wy'n crio'n hawdd iawn. Ond fi ddim yn gwneud hwnna o flaen y bois. Pethau bach yn gwneud i fi grio. Babis yn gwneud i fi grio. Mor dyner. A fi'n teimlo'r balŵn yma o gariad yn swelo tu fewn i fi a fi jyst yn ffeindio fy hunan yn crio. Îfs, reit, fi'n teimlo drosto fe yn ofnadw. Eisiau rhoi cwtsh iddo fe *somethin' terrible* pan o'dd y cach hwnna wedi digwydd iddo fe. Ond beth gwnes i? Eistedd yna a gwenu. *I mean,* falle bod pobl yn credu mai fi oedd wedi gwneud hwnna, ond fi ddim wedi. *If I got a grudge,* fi'n dweud. Ond pam fi methu bod yn onest? Achos fi'n ofni beth fyddai pobl yn dweud yn y contects yna.

HOLWR Ond dwyt ti ddim yn poeni beth maen nhw'n meddwl am y ddelwedd ti wedi creu?

PRÎSI Na! Egsactli! *That is exactly it!* Rwy'n fodlon iddyn nhw weld y ddelwedd. Wy'n browd eu bod nhw yn gweld hwnna ac yn credu *that person is me. 'Cos it's not.* Nhw ddim yn gweld y *real* fi. *And I like it* mai dim ond fi sy'n gadael pobl mewn i'r byd yna.

HOLWR Wyt ti'n credu, i'r graddau yna, bod Îfs yn fwy lwcus na ti.

PRÎSI *Well of course he is.* Achos *what you see is what you get!* Fe yw'r *luckiest bastard* yn yr holl ysgol *if it comes to that!*

HOLWR Mae'r *Ball* mewn ychydig o ddyddiau.

PRÎSI *Aye.* A fi methu weito i gael *leg* fi *over either.*

HOLWR Ife dyna brif fwriad y *Ball?*

PRÎSI Nyh! *Mainly,* mae'n *opportunity* i gael dans gyda stinco athrawon, neu gorjys *ones* fel Miss Es sydd yn mynd i gael *toungin'* off fi *if she's lucky,* a bod yn rîli *ignorant* wrth athrawon chi ddim yn hoffi achos chi'n *pissed* a necst day ymddiheuro a jyst esgus chi ffili cofio beth o'dd wedi digwydd achos chi mor allan o'ch pen. Laff, nady fe?

HOLWR Ac ife gyda Llinos ti'n mynd?

PRÎSI *Yes! Taxi is booked!* A gwybod beth arall? Hi'n dod i aros yn tŷ fi noson yna 'cos mae Mam a Dad a brawd a chwaer fi wedi mynd bant i'r carafán *and we have got the house to ourselves! Mind you,* byddwn ni'n rhy *pissed* i neud dim byd pan ni'n mynd gartre *that night like,* but *O! Look out next day when the hangover is gone, 'cos Llinos is one 'ell of a randy girl sometimes – brains or no brains,* gad i fi ddweud hwnna i ti.

HOLWR Wel, Gavin, diolch yn fawr i ti am dy amser, a gobeithio bydd y *Ball* yn llwyddiant ysgubol.

PRÎSI Diolch i ti, byt. *All the best.* Cael *nice one* nawr.

NOSON Y BALL BLWYDDYN 12. TOTTY NIGHT!!! YES!!

Beirdd + plant beirdd.

Plîs notis fi'n gero ffresh gyda Miss ar ôl poco Spans yn y llygad i gael e mas o'r ffordd

Fi!

MEWN ARGYFWNG - EAT!!!

Start fel chi'n mîno carryo on! Fi ar benblwydd fi'n 2 yn cael lic snac!

raz

HOLWR Enw?

RAZ Raz!

HOLWR Enw llawn

RAZ Raz.

HOLWR Na, dy enw iawn – llawn.

RAZ Fi ddim yn hoffi enw iawn fi.

HOLWR Dim ond i ddibenion y cyfweliad yma.

RAZ *I have given up a milky coffee and three slices of toast to be 'ere, pal!* Gwell i fe bod gwerth e. Rosemary Hafina Esther Ann Grffiths. *Known to all* fel Raz!

HOLWR Diolch.

RAZ Hapus nawr! *Draggin' my past out of me.*

HOLWR Oedran?

RAZ Un deg wyth nesa *but if I don't ger a creamy milky cup of coffee in a minute* fi ddim mynd i weld e!

HOLWR Dyddiad geni?

RAZ Awst y trideg unfed.

HOLWR Ar ôl pwy wyt ti wedi cael dy enwi, Raz?

RAZ *O God, 'ere we go. Nobody's goin' to believe this!* Rosemary ar ôl anti i fi oedd wedi marw *in childbirth in ninteen nought three. Yes, I know, very happy memories!* Hafina achos o'n i wedi cael geni yn yr haf a Mam fi'n credu bo fi ddim yn mynd i neud e trwy'r haf *'cos I was sickly that first year – little did she know* – Esther *'cos of* rhyw fenyw *in the Bible and my mother's a chapel freak*, Ann achos o'dd y bydwraig o'dd wedi dod â fi *into this world* yn *called* Ann *and* Griffiths *'cos my father's a sad git* ac o'dd menyw o'dd yn ysgrifennu hymiaid yn cael ei galw yn Ann Griffiths!

HOLWR Defnyddiest ti air hen ffasiwn fan 'na nawr.

RAZ *What? Git?*

HOLWR Na, 'bydwraig'.

RAZ *Nothing wrong with it.* Mae'n meddwl 'midwife'.

HOLWR Ydy, ond pam ei ddefnyddio fe?

RAZ *I don't know*, ydy fe! Jyst yn gair ma' Mam yn defnyddio.

HOLWR Mae'n air beiblaidd iawn ei naws.

RAZ *Well she goes to chapel*, nagyw hi! Hi a mam Billy yn mynd i'r un *chapel*, nagyn nhw?

HOLWR Wyt ti'n mynd i'r capel, Raz?

RAZ *O my God, look out,* haid *of pigs* yn hedfan obry fry yn yr awyr yn mynd i cachu ar pennau ni! *Get a life*, ydy fe. Fi'n mynd i'r capel! *I'd rather go on a diet!*

HOLWR Pam?

RAZ Achos ma' fe ddim yn berthnasol i fy mywyd, byti bach. Fi ddim yn credu mewn Duw, *and I got better things to do on a Sunday, like eat!!*

HOLWR Ydy bod yn dew yn peri gofid i ti, Raz?

RAZ Oi, *who you callin'* tew, *pal? Big boned!*

HOLWR Felly mae ishe i fi osgoi'r gair 'tew', o's e?

RAZ Na, *couldn't give a monkey's fanny,* mewn gwirionedd. *In the words of the immortal Shirley Bassey, 'I am what I am!'. Except* o'dd hi'n canu hwnna i'r *gays* yn y byd.

HOLWR Ydy bod yn dew yn peri problem i ti, Raz?

RAZ *Only when I think about it. Nawr look 'ere, pal,* os fi'n dweud unrhyw beth *to you*, mae'n cyfrinachol – reit?!

HOLWR Yn llwyr.

RAZ *And there's no way* mae neb mynd i wybod beth wy' wedi dweud.

HOLWR Nagoes.

RAZ *Well, in that case, I will be honest.* Falle bod e yn a falle bod e ddim.

HOLWR Pryd mae'r adegau pan yw e'n broblem?

RAZ *Only between the hours of waking up and going to sleep.*

HOLWR Cynddrwg â hynny, 'te?

RAZ Wel, cael *life* nawr, ydy fe! Wrth gwrs mae e'n broblem - *major problem. But if you think I'd admit it to anyone* ar y ddaear yma *you got to be off your Tesco! No way!*

HOLWR Ym mha ffordd mae'n broblem?

RAZ *At the moment* i fi – secs! *I am gaggin' for it* a fi methu cael e.

HOLWR Does neb wyt ti'n chwenychu?

RAZ *What's* chwyn *got to do with it?*

HOLWR Chwennych – ffansïo?

RAZ O stopo iwso Posh Cymraeg, myn. *Wel let's have a* licl lwc, nawr 'te. *We have Rhys – lovely body, an arse I would cover in massage oil and rub till 'e glowed! Little bit boring at times,* rhy *straight laced* i fi *but there we are,* mewn argyfwng, ontife, *I would not kick him out of bed.* Prîsi? Wel ei sbôs mae'n dibynnu pa *disease* chi'n fodlon risco gyda Prîsi *'cos 'e has put himself about a bit*

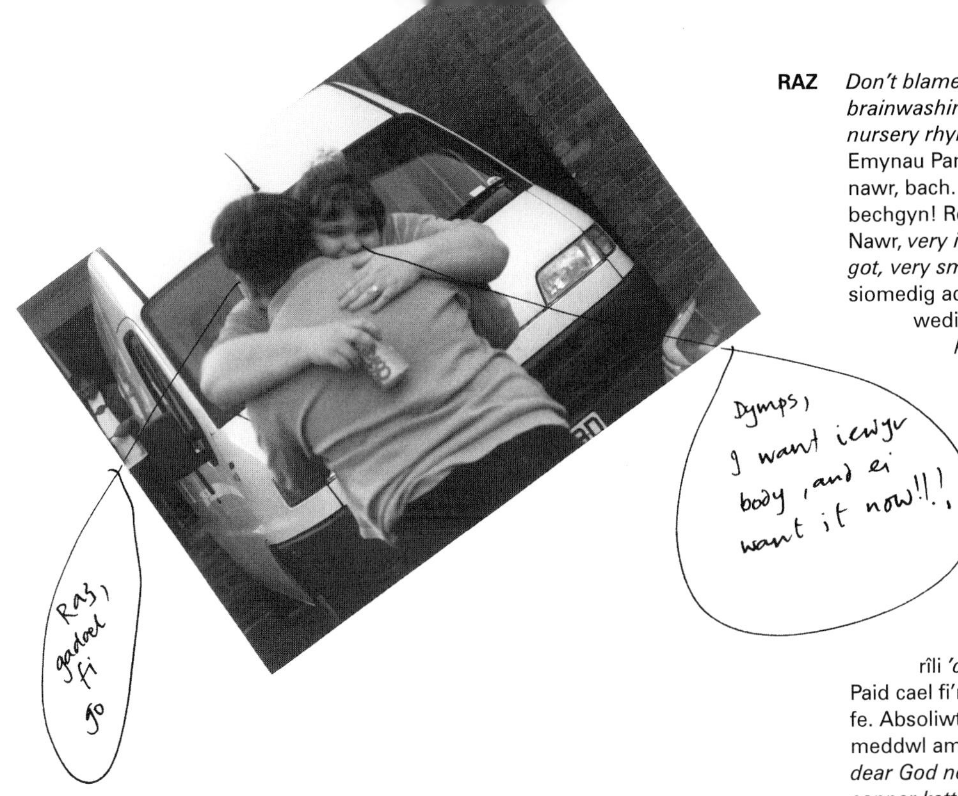

to say the least. But again, to be absoliwtli briwtali onest, mewn argyfwng *'e would be in the middle of my chest!* Wedyn dyma ni'n dod at Îfs. Wel, *all* fi gallu gweud yw *if there is a God 'e's a cruel one.* I mîn, wy'n gwybod *there is a man out there who is goin' to be one of the luckiest bastards alive* achos Îfs yw un o'r bobl neisa wy' erio'd wedi cwrdd. *Do you know 'e actually opens doors for people and lets them go through first!* A mwy na hynny, reit, mae'n fodlon i chi nico bwyd off plat fe amser cino a dyw e ddim yn cael yr hymp! Ei mîn, *the man of my dreams* ac wrth gwrs *according* i Shar *he has got a donger like a donkey* ond sut hi'n gwybod hynny *I don't know 'cos nobody's been with him. Mind you, she was on that beach in North Wales* pan nhw wedi rhedeg mewn i'r dŵr! *Acceptable* iawn fi'n credu *but*, wrth gwrs, anghyraeddadwy pell i fi.

HOLWR Anghyraeddadwy pell – dyfyniad o emyn Pantycelyn, Raz.

RAZ *Don't blame me, blame my mother for brainwashing me as a baby.* Pawb arall yn cael *nursery rhymes – what do I get sung to me?* Emynau Pantycelyn. Eniwei, paid interypto fi nawr, bach. Fi ar *second favourite subject* fi – bechgyn! Reit, ddy grŵp. Sy'n dod â ni at Rhids! Nawr, *very interesting* Rhids, *lovely little face e's got, very small hands* a mae hwnna yn bit siomedig achos *according* i rai magasîns wy' wedi bod yn astudio *in a purely academic kind of way,* mae nhw'n gweud bod seis dwylo dyn *in proportion to the size of his dong.* Nawr dwylo mawr gyda Îfs a Rhys *and accordingly – although* Llinos ddim wedi dweud dim – pethau'n olreit down bilow – ond Rhids! Hm! Wel, *the jury is out on that,* ond, unwaith eto, mewn argyfwng, *you would not throw him out of bed! Which brings us to Elins.* Wel na, mae ddim rîli *'cos I can't be doing* gyda gwallt coch. Paid cael fi'n rong nawr, *charming* bachgen, nady fe. Absoliwtli stynin personoliaeth ond mae meddwl am wallt coch yn cusanu fy mazwcas! *O dear God no, it would be like lookin' down on a copper kettle. Can't be doin' with that!* Sy'n dod â ni at Spans. Now diddorol iawn yr hen Spanwicandiaid. Cŵl tegell o bysgod, mae fe yn. *Lovely little bod, but that is the worrying part. Little. Thin. I don't think I can cope with thin.* Achos, ti'n gweld, *there is this article* darllenes i yn dweud bod dynion tenau *in the body area* yn gallu bod yn denau *in other areas!!* Sy'n dod â ni at Dymps! Wel diddorol ynte! Nawr mae Dymps a fi wedi cael *little potsh like!*

HOLWR Doeddwn i ddim yn ymwybodol o hynny!

RAZ Ddim lot yn bach!! Heisht nawr, ydy fe, *Raz is in 'er stride by 'ere.* Wel o'dd Dymps a fi yn cael y licl profiad yma yn y ganolfan chwaraeon un tro. Gang wedi bod i'r ganolfan chwaraeon, reit, a Dymps wedi straeno *neck* fe a fi'n rhoi *little massage* iddo fe – *out in the open, like,* wedi gorffen yn y ganolfan a phopeth. Wel eniwei, *there we were against the wall* a fi'n rhwbio ei ysgwyddau ac fe deimlais y peth yma yn codi rhyngom ni, ynte!

HOLWR Roedd Dymps wedi cynhyrfu?

RAZ *Could say that,* bach, er ddy cynnwrf waz a licl bach *for my likin',* nady fe? *But of course* roedd Prîsi wedi gweld y cyfryw ymgyfodiad a thynnu sylw pawb ac roedd Dymps wedi gostwng fel balŵn â phric ynddo! Ond rhaid dweud mewn argyfwng, ar noson oer o aeaf, *'e would not be thrown out of bed.* Sy'n dod â ni at Billy. *No, forget Billy.* Mae bola Billy a Raz yn cwrdd, *like, but the other parts wouldn't.* Sy'n dod â fi at Spikey! Spikey! *Now then,* mae Spikey a fi wedi cael licl potsh!

HOLWR Ym mharti'r Chweched i ddathlu'r Brif Swyddogaeth!

RAZ *In one. I'll tell you about the* Prif Swyddogaeth *in a minute.* Spikey! *Yes* wel, diddorol iawn, ynte! *We had a* snog o flaen pawb *on the dance floor and 'e hasn't got a bad little tounge on him* am rywun mor dene, nage fe? Wel, rhoi e fel hyn, *it reached my tonsils.* A dyna lle roedden ni ar ôl y ddawns rownd y bac yn y gwli yn cael licl potsh! Wel, *there was I going for gold,* ife, roedd fy nwylo i ym mhobman, *and, indeed to God, 'e has got a nice little arse on him! Just round enough*, nady fe. *Well there he was,* wedi claddu in my bŵbs, a fi yn teimlo bod y dyfodol wedi codi o fy mlaen megis! *And indeed to God! What a* dyfodol! *We are talking a good seven inches* os nad saith a hanner – *except* fi ddim yn cael *measuring tape at that exact moment which is a shame 'cos I bloody wish I'd had a polaroid camera. They wouldn't believe me if I showed it!* Ond y peth yw, reit, *second* o'n i wedi whilo yn y *lunch box, 'e ran away!*

HOLWR Gafodd e ofn?

RAZ Ofn? Ofn! *I would call it a major bloody trauma!* Erbyn i fi ddod mas o'r gwli 'na gyd o'n i'n gweld o'dd y ffigyr yma'n rhedeg lawr y stryd yn gwciddi, "O mei God, Raz tytshed my wili! Raz tytshed my wili!"

HOLWR Ble oedd pawb arall ar y pryd?

RAZ Dal yn dawnsio, *thank God!*

HOLWR Beth ddigwyddodd y diwrnod nesaf?

RAZ "Fi methu cofio beth ddigwyddodd neithiwr, Raz, o'n i mor *out of my face.* O'n i wedi neud rhywbeth stiwpid?" *Well you can't destroy somebody's illusions can you?* So fi jyst wedi dweud i fe bod e wedi rhoi *toungin'* i fi a bod ni wedi mynd gartref. *But I know different!!!*

HOLWR Wyt ti'n teimlo'n unig weithiau, Raz?

RAZ W, *now then, how long 'ave you got?* Ydw. *Can't tell a lie.* Fi fel Billy, reit, yn gallu cael pobl i wherthin. A phan ni gyda'r grŵp, *you don't want* *nothin' else,* gwybod? Ei mîn, fi ffili dychmygu eisie bod unrhyw ffordd wahanol yn fy mywyd. Fi ddim eisie dyn, na phlant na tŷ na dim byd achos chi gyda'ch gilydd, *and you're happy.* Ond, gwybod, pan wy'n mynd gartre a wy', yn tŷ, *it's like* wy'n edrych dros y bryniau pell eto, yn gobeithio am rywbeth rwy byth yn mynd i cael!

HOLWR Fel yr emynydd?

RAZ *What?*

HOLWR Fe wedodd ei fod e'n 'edrych dros y bryniau pell'.

RAZ *'E 'ad depressions as well,* ydy fe?

HOLWR Yn ôl pob sôn.

RAZ *And before you ask,* wy'n gwybod pam wy'n teimlo fel yna. *It's 'cos I want somebody to love me for what I am.* Nid achos fi'n laff a hala pawb i wherthin, nid achos wy'n dew a hala pawb i wherthin. *I want* rhywun i ddweud, *"God Raz you are* blydi gorjys, dere i'r gwely 'da fi nawr *I want to rip your clothes off and chuck choclate all over you and lick it off slowly!". But it's not going to happen* a hwnna yn gwneud i fi deimlo'n hollol unig. *Still, I've got my teddy bears.*

HOLWR Ble wyt ti'n gweld dy hunan mewn deng mlynedd?

RAZ *O God, I'll be in a mental 'ospital* gyda'r cwestiyne *sad* yma. Bydda i'n *twenty seven*. *And probably still be a virgin! But not for the want of tryin'!*

HOLWR Wyt ti'n meddwl yna, Raz?

RAZ Na. Ond mae'n ffordd o afoido'r cwestiwn on'd yw e?

HOLWR Does dim rhaid i ti ateb dim os nad wyt ti'n dewis.

RAZ *Look, in a perfect world,* buaswn i'n naw stôn, a *size twelve,* gyda thri phlentyn, gŵr oedd yn addoli fi *as well as being hung like an ostrich's neck* ac yn byw mewn tŷ *four bedroomed* ac yn cael gwyliau dwywaith y flwyddyn ac yn popo i siopa i brynu *lettuce leaves* a thomatos yn fy BMW. Ond y realiti yw, bydda i'n dal i fyw gartre achos bydda i wedi ffili ca'l job digon da i dalu am fflat lle galla i fyw yn annibynnol i fy rieni annwyl sy'n dŵo 'ed fi mewn achos *they're happy with their lot in life.*

HOLWR Wyt ti'n debygol o aros yn y cwm?

RAZ No ffycin way, bachgen! *I'm out of 'ere* cyn gynted ag y bydd fy mywyd yn caniatáu i fi!

HOLWR Felly mae pasio'r arholiadau yma yn bwysig i ti?

RAZ Pwysig?! *If it's a* dewis rhwng bwyd a phasio arholiadau *to get away from this hell hole, I'd go anorexic!*

HOLWR Pam wyt ti'n teimlo gymaint o gyfyngder?

RAZ Achos ... O, *I don't know*. Wy'n teimlo bod fi wedi cael fy ngwthio mewn i gornel. Ffaith bod fi fel ydw i. *I want to get away from that.* Creu cyfle newydd. Pobl i weld fi mewn golau gwahanol.

HOLWR Ac wyt ti'n credu byddai mynd i'r coleg yn rhoi'r cyfle yna i ti?

RAZ *I bloody 'ope so!* Ei mîn, *let's face it,* os nad fi mynd i gael jymp yn y coleg *where there are hundreds of randy men, I'm not goin' to have a jump anywhere,* ydw i?

HOLWR Ond mae'n fwy na hynny.

RAZ *I'll come back to you* ar ôl y jymp.

HOLWR Wy'n trio dirnad pam bod hynny mor bwysig i ti, Raz?

RAZ *It's obvious you're not a girl, pal! Look,* i ni ferched, mae'n bwysig bod dynion, bechgyn, *whatever,* yn gwerthfawrogi ni. Ni eisie teimlo yn *loved. The first step to being loved is gettin' rid of that hymen! Although* yn achos fi, fi'n specto *it's like the* llen haearn *by now, I've waited so long!*

HOLWR Ond does dim ffyrdd eraill galle pobl ddangos eu cariad?

RAZ *Look,* ddyn! *I'll have the* cariad *after! At the moment,* fi angen secs! Fi eisiau cael y profiad! *I'll sort* emosiyne fi allan wedyn!

HOLWR Yn y pen draw, Raz, beth licet ti wneud fel gyrfa?

RAZ *Product tester i Marks and Spencers kitchen.* O'dd hwnna'n jôc! Fi ddim yn siŵr. Wy'n eitha da gyda phlant bach, plant meithrin, achos yn y gynradd, roedd rhaid i ni fonitro plant y feithrin amser whare er mwyn i ni ddysgu cyfrifoldeb, a rhaid dweud roeddwn i yn hoffi gwneud hynny. Ond bob tro wy'n gweld plant meithrin fi'n mynd tipyn bach yn *moist* yn y llygaid, a bob tro wy'n gweld dyn stoncin wy'n mynd yn *moist* mewn llefydd eraill! W! *I'm an 'ell of a girl,* nady fi!!! Rhai pobl yn meddwl fi'n lesbian!

HOLWR Pardwn?!

RAZ Ha! O'dd hwnna wedi rhoi sioc i ti, o'dd e?

HOLWR Ife jôc yw hwnna?

RAZ Ie. Dihuno chi lan, *like!*

HOLWR Bydde hynny'n broblem i ti pe baet ti'n hoyw?

RAZ Wot e ffycin stiwpid cwestiyn! Cenhedlaeth chi'n rîli lan *arses* eich hunain lle mae rhywioldeb yn y cwestiwn nadych chi?

HOLWR Dwy' ddim yn deall.

RAZ *It is not a problem!*

HOLWR Iawn 'te, Raz. Ar ddiwedd blwyddyn, beth yw'r uchafbwyntiau i ti?

RAZ Ar wahân i'r bwydydd lysh wy' wedi trio?

HOLWR Ie.

RAZ *Got to be London!* Ydych chi wedi gweld y *totty* sy'n cerdded o gwmpas Llundain? O mei God. O'dd llygaid fi ymhobman.

HOLWR Y perfformiad yn y West End oedd hyn, ife?

RAZ O, *I don't know where it was,* o'n i mewn *daze* rhan fwya o'r amser. Fi'n gallu cofio'r perfformiad ond o'dd popeth wedi mynd mor gyflym! Anhygoel o gyflym. Y laff yn y nos. Ie, uchafbwynt. *And I have to say,* oedd cael fy ngwneud yn Brif Swyddog yn *very high point* i fi achos doeddwn i ddim yn meddwl *for one second* bydden i wedi cael e. Gwbod taw fi o'dd yr *highest* pleidlais? So ffynni, reit, achos oedd wyneb Bechadur yn edrych fel ripd blydi dap pan oedd y Shad wedi rhoi'r job i Sharon! O mei God, *that is another high point in my whole life!* Chi'n gwybod, *that man is a total slime Ball!* Ag o'dd Sharon wedi dweud, "diolch am eich cefnogaeth – Syr!" *I thought 'e was going to have a thrombo* yn y fan a'r lle. Ac wrth gwrs, *to me, Îfs. I love*

Achos os unrhyw un yn gofyn who's got the biggest belly, I'll sit on them!

him. I wish I was a man so I could have his babies.

HOLWR Mae'r Ddawns Flynyddol yn digwydd o fewn ychydig ddyddiau, Raz. Wyt ti'n edrych ymlaen?

RAZ Edrych ymlaen! *Is chocolate an orgasm provider?* Wrth gwrs wy'n edrych ymlaen! *I get to choose who I want to dance with!* Wel, gwell i Dom gael ei *dancin' shoes* ymlaen *'cos I'm going to give 'im a seein' to,* a'r athro chwaraeon! O mei God! *I tell you I can't wait for* gwers dau ar ddydd Mawrth, Iau a Gwener – fe'n dysgu rygbi r'un pryd â fi'n rhydd *and I am out there* yn cefnogi'r ysgol! *Aye, like hell,* cefnogi'r ysgol! Unig beth wy'n gwybod yw bod *different shaped balls* gyda rygbi a phêl-droed, ond mae'r athro chwaraeon ...! *Arse on legs* ni ferched yn galw fe!!! *And apart from that,* wrth gwrs, wy'n edrych ymlaen at fod yn hollol sloshed *by twelve o'clock and I 'ope somebody's got strong arms.*

HOLWR Diolch am dy amser, Raz.

RAZ *Just in time for a snack* bach! Hwyl!

SHAG NO. 2

SHAG NO 1!

SHAG MEWN ARGYFWNG!!

gorfod dweud, if Spikey ddim mor denau that I'd crysho fe in a clinch, e'd 'ave one of me!

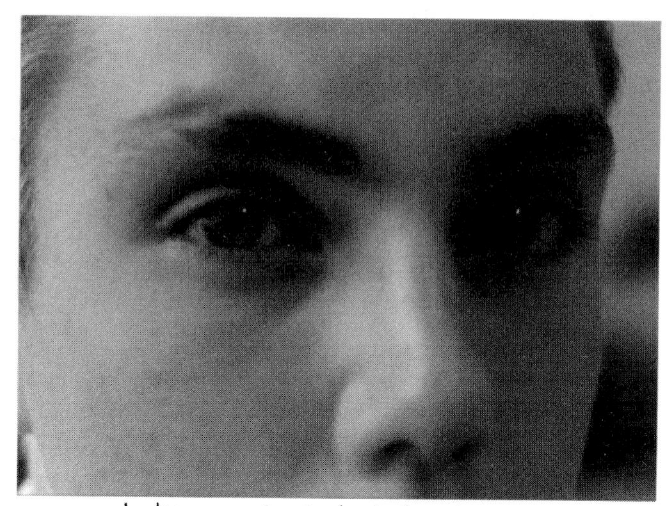

1 hanswm, hard, bastard, gyda
llygaid glas

spans

HOLWR Enw?

SPANS Spans.

HOLWR Enw llawn, cywir?

SPANS Spencer Craig.

HOLWR Oedran?

SPANS Un deg saith.

HOLWR Dyddiad geni?

SPANS Rhagfyr y cyntaf.

HOLWR O ble ddath yr enw Spans?

SPANS Marks and Spencer. Roedd Dymps yn mesan o gwmpas un diwrnod fel mae'n gwneud, ynte, gyda fy enw, ar ôl i ni alw yn y siop hyfryd yna ym Mhontypridd – roedd Dymps angen tipyn bach o galorïau i weld e trwy ddal y bỳs tair milltir i fyny'r ffordd a'i gartref amser te! – ac yng nghanol llawer o hwyl a sbri, yn gofyn os taw fi oedd piau'r siop hyfryd hon ac yn y blaen, dyma fe yn galw Spans arna i ac fe sticiodd hwnna fel glud siwpergliw, ynte!!

HOLWR Wyt ti'n berson tawel, Spans?

SPANS Ydw. A nac ydw. Rwy'n hoffi laff yn fawr iawn. Ma' nhad i'n hoffi laff hefyd. Mae e'n berson doniol iawn. Mae Mam hefyd. Ond Dad sy'n gwneud pethau twp fel gwisgo lan fel cymeriad dwl a cherdded lawr y stryd i garnifal neu rywbeth. Wy'n gallu bod yn mŵdi, cofiwch. Mynd mewn i fy nghragen megis. Ond mae pawb siŵr o fod.

HOLWR Ar ba adegau bydd hynny'n digwydd?

SPANS Pan wy'n teimlo ychydig yn isel.

HOLWR A beth sy'n achosi i ti deimlo yn isel?

SPANS W! Nawr te! Faint o amser sydd gyda chi! Llawer o bethau. Y byd, yr amgylchedd. Ffaith bod dim cariad gyda fi. Fy sbotaniaid.

HOLWR Sut oedd cael y sbots yna'n effeithio arnot ti?

SPANS Wel fel mae'n effeithio pob bachgen, siŵr o fod. Roedd e'n fy ngwneud i'n ansicr o fy hunan. Dweud y gwir, roeddwn i'n eitha *show off* yn y cyfnod yna achos roedd rhaid i fi wneud sioe fawr ynglŷn â sut oeddwn i'n edrych i guddio'r ffaith bod fi'n brifo tu mewn. Yn union fel Billy mewn ffordd … mae e'n gwneud i bawb chwerthin a does neb yn sylwi wedyn 'i fod e'n dew achos mae'r chwerthin yn bwysicach.

HOLWR Wyt ti'n honni bod Billy yn poeni am fod yn dew mewn gwirionedd?

Siani flewog wedi apîro ar fy nhalcen

sliti llygaid

Mae hwn yn sad. Gwallt wedi ffrwydro yn ddi-lywodraeth! Problem oedd, cysges i'n hwyr, dim cawod, rolio allan o'r gwely – is ddis the sadest llun erioed. Cywilydd ydwyf.

'D' am dysgwr! So beth mae hi'n dysgu i Prīsī?!!

DYMA FI YN TRIO EDRYCH YN CŴL – EI MÎN, IN GLASUS!!

SPANS Wel nid fy lle i yw siarad am Billy siŵr o fod, ond os ydy e'n teimlo fel o'n i'n teimlo, o'n i eisiau bod yr un peth â phawb arall, yn 'normal' fel pawb arall. Mae'n anodd iawn yn yr oedran yna i dderbyn eich bod chi'n wahanol. Pethau'n gwella pan chi'n aeddfedu.

HOLWR Dywedaist ti 'aeddfedu' fan 'na nawr nid mynd yn hŷn.

SPANS O wy'n credu'n gryf yn hynny. Dyw bod yn hen ddim r'un peth â bod yn aeddfed, ydy fe?

HOLWR Mae hwnna'n beth aeddfed iawn i'w ddweud.

SPANS Ydy fe? Wel fel 'na wy'n teimlo. Wy'n gwbod mai un deg saith ydw i ond weithiau, chi'n gwbod, wy'n teimlo fel tasen i'n ddau ddeg saith a thri deg saith. Teimlo fy mod i'n gallu siarad am unrhyw beth, barod i wneud unrhyw beth.

HOLWR Beth yn union wyt ti'n golygu wrth hynny, Spans?

SPANS Ie, oedd hwnna'n swnio'n nôti iawn on'd oedd ef?!!! Wel, chi'n gweld, achos wy' fel odw i dyw pobl ddim yn credu bod bywyd arall gyda fi. Jyst y person ma' nhw'n gweld ar yr wyneb. Ond mae bywyd preifat gyda ni gyd on'd oes e, bywyd rhywiol, bywyd cudd.

HOLWR Ond dywedaist ti jyst nawr does dim cariad gyda ti.

SPANS Nagoes! Ond dyw hwnna ddim yn dweud fy mod i ddim wedi cael profiadau, ydy fe!!!!

HOLWR Wyt ti?

SPANS Ydw.

HOLWR Ydyn nhw wedi bod yn brofiadau positif?

SPANS Wel fi wedi mwynhau nhw!

HOLWR Ydyn ni'n siarad am brofiadau rhywiol fan hyn yn unig?

SPANS Ydyn a nac ydyn.

HOLWR Beth fyddai dy ateb di i bobl fyddai'n dweud dy fod di'n rhy ifanc i gael profiadau rhywiol?

SPANS Mewn brawddeg – *get a life!* Dwy' ddim yn nabod neb yn fy mlwyddyn i sydd heb gael y profiadau yna – neu ma' nhw'n dweud celwydd.

I hard bastard

HOLWR Pawb?

SPANS Wrth gwrs. Dyw e ddim yn *big deal*. Ni'n gang onest iawn gyda'n gilydd, chi'n gwybod, nage ein bod ni'n dweud yr holl fanylion na dim byd fel 'na ond cymrwch chi fel mae Îfs wedi dweud wrth bawb ei fod e'n hoyw. Wedyn ma' Prîsi yn gweu storïau o gwmpas ei anturiaethau caru fe, a ni gyd yn chipo mewn mewn ffordd ofnus ond jôci am y pethau ni fod wedi gwneud.

HOLWR A wedyn chi'n creu y straeon yma er mwyn cystadlu â'ch gilydd. Dŷn nhw ddim yn wir mewn gwirionedd?

SPANS Falle. Falle ddim.

HOLWR Wyt ti'n wyryf, Spans?

SPANS Ym mha ystyr?

HOLWR Wyt ti wedi cael cyfathrach rywiol?

SPANS Wel ydw a nac ydw.

HOLWR O.

SPANS Wy' wedi potshan, ond dwy' ddim wedi cael rhyw llawn.

HOLWR Pam?

SPANS Ddim eisiau defnyddio neb. Ddim eisiau gwneud *commitment* llwyr fel yna.

HOLWR A byddai cael cyfathrach lawn yn golygu hynny?

SPANS Wy'n credu bod e'n rhoi pwysau arbennig arnoch chi i fihafio mewn ffordd arbennig – ydw. Wy'n berson teyrngar iawn. Wy' eisiau teyrngarwch nôl. Fi methu bod fel Prîsi, chi'n gwbod. Fi ddim yn beirniadu'r ffordd yna o fyw. Jyst dweud ydw i wy' methu bod fel yna fy hunan.

HOLWR Wyt ti'n hapus yn yr ysgol, Spans?

SPANS Ydw. A nac ydw. Rwy'n hapus gyda fy ffrindiau ond yn anffodus dydw i ddim yn arbennig o academaidd, ynte? O ganlyniad wy' wedi penderfynu aros ar ôl blwyddyn yn y Chweched, ond dwy' ddim yn credu bod hynny yn mynd i neud lot o wahanieth yn y pen draw. Ond dyna ni, mae'n well na bod ar y dôl ac yn y blaen.

HOLWR Pan wyt ti'n dweud 'academaidd', beth yn union wyt ti'n ei feddwl?

SPANS Dwy' ddim yn mynd i gael graddau uchel iawn yn lefel A.

HOLWR Ond mae dy Gymraeg di'n dda. Byddet ti'n siŵr o gael gradd dda mewn Cymraeg.

SPANS Dyna beth mae Miss wedi dweud hefyd – ond dwy' ddim yn siŵr. Wel odw, wy' yn siŵr. Yn fy mreuddwydion bach, ynte, rwy'n gallu gweld fy hunan yn cerdded allan o swyddfa'r prifathro ar ddiwrnod y canlyniadau gyda tair A! Yn fy mreuddwydion!

HOLWR Ond byddai tair C neu dwy C a B yn hen ddigon i gyrraedd y brifysgol.

SPANS Byddai. Mae Miss a Syr, chwarae teg, wedi pwyntio hynny allan i fi. Dwy' ddim cweit yn siŵr beth sy'n digwydd yn fy mhen, ond wy' yn gwybod dwy' ddim yn barod i adael yr ysgol yma pan fydda i'n un deg wyth.

HOLWR Ofnus wyt ti?

SPANS Mewn gair – ie.

HOLWR Oherwydd?

SPANS Anodd dweud. Mae hwn yn dod nôl eto at y busnes yma o fod yr un peth â phawb arall. Wy'n gwybod nawr, taswn i'n mynd i'r coleg yn un deg wyth, yn edrych mor ifanc ag ydw i o hyd, wy'n credu y bydden i'n cael llawer o jip yn y coleg! Pobl yn ripo'r pis allan ohona i. Dwy' ddim eisiau i hynny ddigwydd. Wy' eisiau mwy o amser i aeddfedu.

HOLWR Hynny yw, wyt ti eisiau gwneud pethau ar dy delerau di.

SPANS Mewn gair – ie.

HOLWR Beth yw dy farn di am aelodau eraill y grŵp, Spans?

SPANS Dwy' ddim yn deall y cwestiwn.

HOLWR Pwy yw'r person wyt ti'n teimlo agosaf ato ef neu hi yn y grŵp?

SPANS Mae hwnna'n gwestiwn anodd iawn. Rwy'n agos at Dymps ac Elins, rwy'n hoffi Spikey ar adegau, mae Rhids yn gallu bod yn agos ond yn ddiarth y rhan fwyaf o'r amser, mae Raz y tu hwnt o gariadus ac annwyl gyda fi, mae Llinos yn bell ac wedi newid ers iddi hi a Rhys gwpla, mae Sharon yn agos at Llinos a Rhys, mae Prîsi yn credu 'mod i'n fyrjin bach trist sydd angen *'seeing to'*, mae Îfs a Rhys yn ffrindiau agos iawn …

HOLWR A?

SPANS Ych.

HOLWR Beth?

SPANS Wel, dwy' ddim yn gallu ateb y cwestiwn yn iawn! Mae'n rhaid i fi ddweud, tasen i'n gallu dod yn agos at Îfs, bydden i wrth fy modd yn rhannu pethau gyda fe. Ydych chi'n gwbod ei fod e'n hynod o alluog?

HOLWR Fel y deellais i.

SPANS Ac mae e mor deyrngar a ffyddlon i Rhys. Ond dyw Îfs ddim yn gwneud ffrindiau yn hawdd iawn. Rwy wedi sylwi ar hwnna ers blwyddyn saith – dyw e ddim yn gallu agor mas. Dwy' ddim yn siarad yn ei erbyn e nawr chi'n deall! Rwy'n ei edmygu e'n fawr am ei safiad gonest. Ond dwy' ddim yn teimlo 'mod i'n 'i nabod e'n well nawr nag o'n i chwe mlynedd yn ôl. Dwy' ddim yn credu bod neb, ar wahân i Rhys!

HOLWR Beth wyt ti'n trio dweud wrth ddweud hynny, Spans?

SPANS Dwy' ddim yn siŵr. Mae pawb arall, pob un ohonon ni mewn gwirionedd yn weddol o arwynebol.

HOLWR Ydy hynny'n dy gynnwys di dy hunan?

SPANS Nagyw. Wy'n cadw lot nôl hefyd. Ond ma'r sioe ni'n dangos o'n hunain, y peth arwynebol yma gyda ni gyd. Dim ond yn yr eiliadau dwys rydyn ni'n gallu bod yn onest gyda'n gilydd. Ond chi'n gweld, mae Îfs fel 'na drwy'r amser. Mae e fel tase fe'n dangos rhywbeth mewn ffenest siop, mae'r peth yma ar werth i bawb, ond os oes rhywun eisiau prynu, yn sydyn iawn, mae e allan o stoc. Jiw ma' hwn yn rhyfedd. Dwy' erioed wedi meddwl am y peth fel yna o'r blaen.

HOLWR Ac ar ôl hynny i gyd, Spans, pwy wyt ti'n credu wyt ti agosaf ato ef neu hi yn y grŵp?

SPANS Wel, 'na'r peth trist, chi'n gweld. Dwy' ddim yn credu 'mod i'n agos at neb! Siarad â phawb ond agos at neb. O mei God!

HOLWR Ydy hwnna'n sioc i ti?

SPANS Wel ydy! O'n i'n meddwl 'mod i'n agos at bawb, ond dwi ddim. Wy'n siarad â phawb ond dyw hwnna ddim yr un peth, ydy fe? Wy'n credu wy' ar fin mynd mewn i masif dipreshyn! Och a gwae! *I am alone in the world!* Cwestiwn nesaf!

HOLWR Beth yw dylanwad dy rieni arnot ti?

SPANS Hm! Diddorol. Cryf, ond heb fod yn ormesol. Dysges i'r gair gormesol wythnos diwethaf. Maen nhw wedi rhoi arweiniad i fi ynglŷn â sut i drin pobol, sut i fod yn barchus o bobl. Ond maen nhw hefyd wedi rhoi digon o raff i fi i ddatblygu fel person. Ac rwy'n ddiolchgar iawn iddyn nhw am hynny. Chi'n gwbod bod brawd gyda fi.

HOLWR Ydw. Richard.

SPANS Neu fel mae pawb yn galw fe – Bêbi Spans! Alla i ddweud wrthoch chi nawr, dyw e ddim yn gwmws yn fy hoffi i am hynny! O nac ydy!

HOLWR Pam?

SPANS O, rywbeth bach o'r enw byw yng nghysgod ei frawd mawr!

HOLWR Wyt ti'n dod ymlaen yn iawn gyda fe?

SPANS Ydw. Dim ond i ni beidio â gweld gormod ar ein gilydd. Mae pethau lot gwell ers i ni symud i dŷ â thair stafell wely. Cyn hynny roedden ni'n gorfod rhannu, ac – o mei God! – roedden ni'n cwympo allan megis ci a chath, ynte!

HOLWR Pam?

SPANS Wel dros ddim byd mewn gwirionedd. Ond roeddwn i eisiau fy sbês fy hunan a fy mhreifatrwydd ac roedd scyncyn bach eisiau bod yn rhan o bopeth roeddwn i'n gwneud a dyw hwnna ddim yn neis iawn.

HOLWR Pan wyt ti'n dweud preifatrwydd, Spans, gwaith cartref a merched, ife?

SPANS Ymysg pethau eraill! Pethau mae bechgyn yn gwneud ar eu pen eu hunain! Does dim rhaid dweud mwy, nagoes!

HOLWR Nagoes, os nad wyt ti'n dewis!

SPANS Wel, er mwyn y dyn byw, chwi wyddoch – bwrw yr hen sosej, ynte!

HOLWR O, hunanleddfu.

SPANS Ife 'na beth yw e yn Gymraeg?

HOLWR Mwdwl dagu. Sawl math ar enw.

SPANS *Good heavens* – do'n i ddim yn gwybod bod geiriau Cymraeg am bethau fel 'na!

HOLWR Mae'n siŵr bod gair Cymraeg am bopeth – dim ond i ti edrych.

SPANS Cweit reit! Cymru am byth!

HOLWR Wyt ti'n credu hynny Spans, neu jyst gwneud jôc arall?

SPANS Am Gymru?

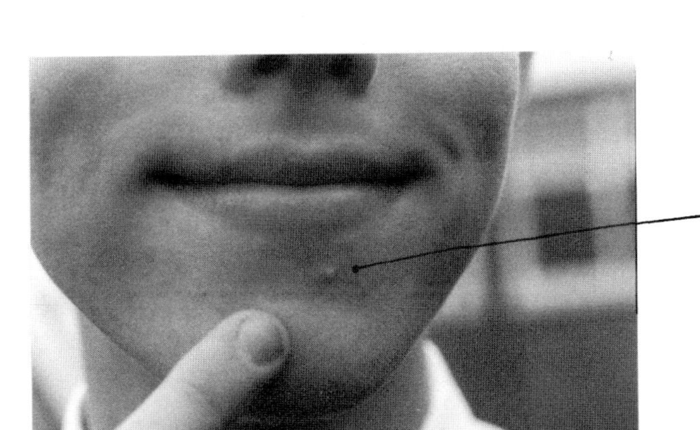

Y Sbot Ysbydadden Bencawraidd. Doedd hwn ddim yn gyfnod hapus i fi. Pan wasgais y sbot hwn, fe saethodd i'r drych fel roced o gwstard melyn!! Hyfryd iawn

HOLWR Ie.

SPANS Dim o gwbl. Rwy'n caru fy ngwlad a fy iaith yn hollol. Fi methu rhoi mewn geiriau beth wy'n teimlo yn iawn. A pheidiwch â gofyn i fi ble ddechreuodd hynny oherwydd galla i ddweud wrthoch chi yn syth – yr ysgol gynradd.

HOLWR A'r athrawes roedd pawb yn ei charu.

SPANS Ife *'X Files'* yw'ch enw canol chi?

HOLWR Cafodd yr athrawes yma ddylanwad trwm arnat ti?

SPANS Hiwj, piwj, ziwj – masif, bigest, mega, wiced mega siwper bowl. Wy'n siŵr bod pawb mewn cariad gyda hi – er pan chi'n wyth a naw, sa i'n siŵr os chi'n deall y gair yna. Ta beth, nethon ni adduned gyda'n gilydd cyn gadael na fydden ni'n siarad Saesneg. A dŷn ni ddim wedi. A mae'n wych. Mae bywyd yn hapus.

HOLWR Oes rhywbeth ynglŷn â dy fywyd di dwyt ti ddim yn ei hoffi?

SPANS Dim digon o arian gyda fi i brynu dillad.

HOLWR Beth? Ti'n lico dillad?

SPANS Absoliwtli dwlu ar brynu dillad. Tyns gormod gyda fi, ond wy' methu stopo am ryw reswm.

HOLWR Mae pawb yn hoffi bod yn ffasiynol.

SPANS Wel wy'n credu 'i fod e'n fwy na hynny. Wy' lico edrych yn neis.

HOLWR Ydy edrych yn neis yn bwysig i ti, Spans?

SPANS Wel dwy' ddim yn siŵr os ydw i'n edrych yn neis yn y pethau yma.

HOLWR Wyt ti'n credu bod corff da gyda ti?

SPANS O mei God, nago's! Wel, falle … Wel, weithiau wy'n edrych yn y drych a wy'n meddwl – W! Ddim yn ddrwg. Ond wedyn, wy' jyst yn meddwl fi'n wimp achos wy' mor denau.

HOLWR Ond yn y bôn wyt ti'n hapus gyda dy hunan?

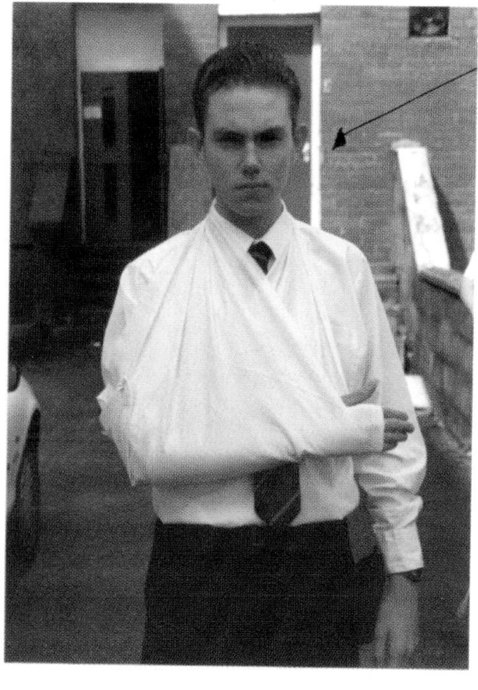

Ddim yn faker chwerthin!

Rhwystredigaeth rywiol am chwech wythnos

SPANS Wel, rhaid cyfaddef, bydden i'n hoffi cael tojer mwy o seis. Na, mae hwnna'n gelwydd, bydden i'n hoffi cael tojer fel donci.

HOLWR Ydy cael pidyn bach yn boendod i ti?

SPANS O jiw, peidiwch â bod mor seriys – dim ond jôc fach oedd hynny! Does dim gwahaniaeth gyda fi rîli!

HOLWR Wyt ti'n credu mai yn y cwm hwn y byddi di'n byw am weddill dy fywyd, Spans?

SPANS W! Cwestiwn hyfryd! Wel ydw mewn gwirionedd. Cofiwch chi, rwy eisiau mynd bant i'r coleg i rywle! Hyd yn oed os taw dim ond gwneud gradd mewn brwsho'r hewlydd yw e! Wy' wir yn teimlo bod yn rhaid i fi fynd i ffwrdd cyn dod yn ôl i werthfawrogi'n llawn beth sydd gyda fi.

HOLWR A beth sydd gyda ti, Spans?

SPANS Cymdeithas. Mewn gair. A chi ddim yn ffeindio lot o reina o gwmpas y lle am bunt ydych chi?

HOLWR Wyt ti'n credu byddi di'n priodi rywbryd?

SPANS O argol! Dyna gwestiwn hyll!

HOLWR Pam?

SPANS Achos mae hynny'n golygu fy mod i'n tyfu fyny a dwy' ddim eisiau!

HOLWR Ond i ateb y cwestiwn?

SPANS Efallai. Dim ond *big* efallai. Dwy' ddim yn siŵr os bydd hynny'n iawn i fi. Wy' eisiau partner. Wy'n gallu dweud cymaint â hynny. Byddwn i'n hoffi cael cwmni. Ond priodi? Mae'n air rhy fawr i fi ar y funud.

HOLWR Wedyn, dwyt ti ddim yn gallu meddwl yn nhermau plant?

SPANS O *good God*, nagw! Ych a fi! Alla i ddim â meddwl am ddim byd gwaeth!

HOLWR Rwyt ti ar fin mynd i Ddawns y Chweched o fewn ychydig ddyddiau, Spans, ond wrth edrych nôl ar y flwyddyn sydd wedi bod, beth yw'r uchafbwyntiau i ti?

SPANS Llundain yn bendant. Cael canu yn y National Theatre yn Lloegr. Roedd hwnna y *buzz* mwyaf *amazing* i ni gyd! Ac roedden nhw'n parchu ni chi'n gwybod achos ein bod ni'n siarad Cymraeg!

HOLWR Ac ar lefel bersonol?

SPANS O hawdd. Îfs yn dweud wrthon ni am ei hunan. Mae eiliadau yn eich bywyd wy'n credu y byddwch chi'n cofio am byth. Erbyn hyn dwy' ddim yn cofio dim byd am y laff a'r picnic. Wy'n cofio Îfs yn ishte o'n bla'n ni, ac yn dweud, "wy' yn hefyd, wy'n hoyw", ac yna y distawrwydd rhyfeddaf. Wy'n cofio clywed sŵn y dŵr o'r rhaeadr a rhyw aderyn yn canu. A'r don yma o gariad. Fi ddim yn gallu ei ddisgrifio fel dim byd arall ond ton o gariad. Dwy' ddim yn credu bod hynny'n mynd i ddigwydd eto yn fy mywyd am amser hir.

HOLWR Diolch am siarad gyda fi, Spans.

SPANS W! Pleser, ynte!

Pawb i wenu
medd Prys Olivier
ein hen athro drama,
yna, dim ond y dosbarth
TGAU i aros

1.

Aderyn blydi hiwj
yn pisho ar ein
pen

2.

3 NOT DONIOL

4. Osgoi'r aderyn.